Edición Anotada

Published in the United States of America.

Descubre el español con Santillana
Antología 4 Edición Anotada
ISBN-13: 9781616056360
ISBN-10: 1616056363

Editorial and Production Staff

Editorial Director: Mario Castro
Executive Editor: Pedro Urbina
Senior Editor: Patricia E. Acosta
Editorial Research and Developmental Editing: Gabriela Prati
Contributing Developmental Editors: Lourdes M. Cobiella, Andrea Sánchez
Contributing copyeditor and proofreader: Claudia Baca
Design and Production Manager: Mónica Candelas
Design and Layout: M. Patricia Reyes
Image and Photo Research Editor: Mónica Delgado de Patrucco
Cover Design and Layout: Studio Montage

Santillana USA Publishing Company, Inc.
2023 NW 84th Avenue, Doral, FL 33122
www.santillanausa.com

www.descubreelespanol.com

Printed in Colombia by DvinniS.A.

16 15 14 13 12   1 2 3 4 5 6 7 8 9 10

Acknowledgments

Text: p. 71, "Fábula del buen hombre y su hijo" by Mireya Cueto, *Textos para leer 4*, Editorial Santillana, S. A. de C. V., México D.F.; p. 79, "Fábula de Tío Conejo y el Gran León" by Alfonso Chase, *Fábulas de fábulas* by Alfonso Chase, Editorial Costa Rica, San José; p. 95, "La historia de Manú" by Ana María del Río, *La historia de Manú* by Ana María del Río, Alfaguara, Aguilar Chilena de Ediciones S. A., Santiago de Chile; p. 135, "Lío de perros, gatos y ratones" by Mireya Cueto, *Textos para leer 4*, Editorial Santillana, S. A. de C. V., México D. F.; p. 143, "El Sr. Mono y Don Tortuga" by Alfonso Chase, *Fábulas de fábulas* by Alfonso Chase, Editorial Costa Rica, San José; p. 159, "La cama mágica de Bartolo" by Mauricio Paredes, *La cama mágica de Bartolo* by Mauricio Paredes, Alfaguara, Aguilar Chilena de Ediciones S. A., Santiago de Chile

Photos: p.54: © Álvaro Leiva / Age Fotostock, © Patrick Escudero / Age Fotostock; p.55: © José Moya / Age Fotostock, © Wendy Connett / Age Fotostock; p.57: John Coletti / Age Fotostock; p.58: © David Forman / Age Fotostock, © Adalberto Rios Szalay / Age Fotostock; p.86: © Raffaele Meucci / Age Fotostock; p.87: © Age Fotostock; p.87-90: © Reuters; p.110: © Álvaro Hurtado / Santillana USA; p.112: © Lucas Vallecillos / Age Fotostock; p.113: © Álvaro Hurtado / Santillana USA; p.114: © Lucas Vallecillos / Age Fotostock; p.118: © Juergen Richter / Age Fotostock, © Osvaldo Rivas / Reuters; p.120: © Reuters; p.121: Jake Woodard; p.121: Age Fotostock; p.122: © Osvaldo Rivas / Reuters; p.150: © Age Fotostock, © Reuters; p.152: © Reuters; p.166-167: Courtesy of © Luis Cobelo and Fidelio Arts; p.168-170: © Reuters; p.174: © Age Fotostock; p.175: © Reuters; p.175-178: © The Print Collector / Age Fotostock.

Illustrations: Beginner Level: Alejandra Karageorgiu; Intermediate Level: Alejandro Sarli; Advanced Level: Diego Moscato

The publisher has made every effort to secure permissions for all the copyrighted selections that appear in this book. Any errors or omissions will be corrected in future printings, as information becomes available.

Contenidos

contenidos

To Teachers and Parents

Descubre el español con Santillana is a comprehensive program designed to teach Spanish as a world language in elementary school classrooms. Created with teacher flexibility in mind, the program can be used in a FLES setting, or it can be used to support FLEX or Dual-Language instruction.

The **Antologías** are an integral part of the *Descubre el español con Santillana* program. They are a collection of authentic grade-appropriate literature, thematically correlated to each unit of the student book. There is one **Antología** per grade, for grades 1 to 5.

Each unit in the **Antología** includes three readings from different genres to accommodate the needs of students of Spanish, as well as heritage speakers, who generally have a stronger command of vocabulary than beginning FLES students. The readings are divided into three categories: Beginner, **Intermediate**, and **Advanced**.

Each reading includes appropriate pre- and post-reading activities designed to help support the literacy skills taught in *Descubre el español con Santillana*, including accessing prior knowledge, vocabulary, phonics, reading fluency, reading comprehension, spelling, and writing.

The **Antologías** are ideal for supporting reading in the classroom, whether as shared, guided, or independent reading. The **Antologías** are also flexible enough to use at home by parents as a stand-alone reading companion. The **Annotated Edition** contains point-of-use teaching suggestions and answer keys. The **Antologías Audio CD** contains lively recordings of the reading selections as well as the **Comprendo lo que leí** activities.

How to Use the *Antología*

Antes de leer

This section is comprised of guided questions that help connect students to prior knowledge they may have about the subject or theme. The **Annotated Edition** includes teacher/parent prompts to further enhance the guided questions. These prompts can be used in conjunction with pre-reading strategies—such as previewing, KWL charts, and brainstorming—to help prepare students for the reading selection.

A number of vocabulary words are highlighted in each selection. These words can be introduced to students before they start reading to ensure a better understanding of the selection. A glossary of the highlighted vocabulary can be found at the end of the book.

 For information on how to purchase the Annotated Edition and the Audio CD, visit: www.descubreelespanol.com

Lectura

The literature selections in the **Antologías** are authentic pieces that cover a variety of themes and genres culturally relevant to the country that is studied in each unit. They include informational and expository texts, biographies, poetry, and fiction.

The use of appropriate reading strategies is essential for the development of reading skills. Reading strategies are designed to help students better understand the reading selections before, during, and after they read. Some useful strategies, for example, are Echo Reading, Retelling, and Summarizing. "Echo Reading" is an easy-to-use strategy that helps students learn fluency, expression, and reading at an appropriate rate. "Retelling" helps students to tell the story using their own words, and "Summarizing" helps them to identify the main ideas of the story. A detailed list of reading comprehension skills and strategies can be found on pages 4–5.

Comprendo lo que leí

This one-page section has a series of comprehension questions designed to measure how well students understand the selection. In addition, each series has one critical thinking question to help students to reflect on the selection and engage in independent, higher-order thinking skills. The use of reading comprehension skills and strategies is recommended to help students to better understand the selection before answering the comprehension questions. The **Annotated Edition** comes with an answer key for this section.

Así se dice

This one-page section focuses on phonics, words with variable spelling forms (**ortografía dudosa**), and vocabulary development. Helpful grammar definitions are provided followed by activities. The phonics activities help students to understand the relationship between letters and sounds. The variable spelling activities give students an opportunity to practice sounds that are similar or identical in Spanish but have different spelling forms and meaning, such as **casa**, **caza**. The vocabulary development activities help students to understand new vocabulary and use it when reading and writing. The **Annotated Edition** comes with an answer key for this section.

Así se escribe

The focus of this section is grammar and spelling. Helpful grammar definitions are provided followed by activities. These activities help students to understand the function and application of grammatical and spelling conventions in appropriate grade-level contexts. The **Annotated Edition** comes with an answer key for this section.

A escribir

The writing activity encourages students to think, evaluate, and write about the selection they just read. It can focus on the selection, a part of the selection, or expand upon the selection. The activity also gives students an opportunity to practice using the grammar and spelling functions they have just learned in that unit. The **Annotated Edition** includes teacher/parent prompts to further enhance the writing experience. All activities in the **Antología** must be written on a separate notebook or sheet of paper.

Reading Comprehension Skills
and Strategies

Author's Point of View

All stories have a narrator. Sometimes, the narrator is an outside observer and tells the story in the third-person, using pronouns, such as **él**, **ella**, **se**, **ellos**, and **ellas**. Sometimes, the narrator is also a character in the story and uses pronouns such as **yo**, **mi**, **me**, and **mío**. When the narrator is an outside observer, the author is using the third-person point of view to tell the story. When the narrator is a character, the author is using the first-person point of view to tell the story. Guide students to identify pronouns in the selection that show the author's point of view.

Author's Purpose

Authors write stories for a reason. This reason is called **author's purpose**. The four main reasons for writing a story are: 1) to **inform**, or tell about something; 2) to **explain**, or describe what something is like or how something works; 3) to **entertain**, or make the reading enjoyable or funny; and 4) to **persuade**, or convince the reader to do something or to think the way the author does. Sometimes, authors have more than one purpose for writing a story. Ask students to identify the author's main purpose for writing the selection. Help them to find and name the details that the author uses to accomplish the purpose.

Cause and Effect

A **cause** is why something happens. An **effect** is what happens as a result of that cause. Sometimes, words and phrases such as **porque**, **por eso**, **desde entonces**, **por lo tanto**, and others, give clues to indicate cause and effect relationships in a story. However, a story may not include these words and still have cause and effect relationships. Encourage students to find any signal words that may be present in the story and help them to identify cause and effect relationships in the selection.

Comparing and Contrasting

When we tell how two or more things, events, or characters are alike, we are **comparing**. When we tell how two or more things, events, or characters are different, we are **contrasting**. Comparing and contrasting helps us to understand how people, events, or things are alike or different in a story. Have students look through the selection and help them to identify instances in which the author compares and contrasts events, characters, or things.

Drawing Conclusions

We **draw conclusions** when we take information about a character or event in a story and then make a statement, or conclusion, about that character or event based on that information. Have students look through the paragraphs they are reading and model how to draw conclusions about the characters and/or events.

Echo Reading

This reading strategy is ideal for modeling correct pronunciation and intonation of text. Start reading the selection and ask students to repeat after you. Start with words and phrases, and gradually increase to sentences. Be sure to read with emotion and in a lively manner. Avoid correcting students who mispronounce. Instead, encourage them to continue reading, following your lead, as you gradually release more responsibility to them.

Fantasy and Reality

Fantasy is something that could not happen in real life. **Reality** is everything that is real or authentic. A fantasy may be a story that includes make-believe characters such as talking animals, while a realistic story may tell about something that could happen in real life. Help students identify stories they may know that are fantasies and stories they may know that are realistic. Ask students if the selection they are reading is realistic or if it is a fantasy. Have them identify details or examples from the selection that are make-believe or realistic.

Main Idea and Details

The **main idea** is the most important point the author makes in a story or paragraph. In a paragraph, the main idea is often contained in a topic sentence at the beginning or at the end of the paragraph. In order to support the main idea, authors use **details** in other sentences that may describe, give reasons and definitions, and give other types of information. Help students to identify the main idea and details of some of the paragraphs in the selection.

Making Inferences

We make **inferences** when we use clues from the reading and what we already know to figure out something that is not directly stated or explained in the reading. Have students make inferences about the characters or events in the selection.

Retelling

Retelling is when a reader tells the story in her or his own words. Retelling provides the reader with the opportunity to process what she/he has read by organizing and explaining it to others. Retelling can be used for a paragraph, section, or for the entire selection. Have students retell the selection by helping them to organize the events of the selection.

Sequence

Sequence is the order of events in a story. Understanding in which order events take place in a story is essential to forming ideas and opinions about a story. Words and phrases such as **primero**, **después**, **luego**, **finalmente**, **al día siguiente**, **mañana**, and so on, often signal order of events and time in a story. Help students to identify order of events in the selection by having them identify time and order words or phrases.

Summarizing

When we determine the most important events or ideas in a text, we are **summarizing**. Summarizing helps us to learn how to determine essential ideas and consolidate important details that support them. Summarizing can be used with paragraphs, sections, or for the entire selection. Help students to summarize the selection by asking them to identify the most important events or ideas of the selection.

Discuss with students the *Lago de Nicaragua* and what they might find on an island in that lake. Then ask the following questions.

Antes de leer

¿Cómo se visita una isla? How does one visit an island?

¿Qué hay en una isla? What is on an island?

¿Cómo es un volcán? What is a volcano like?

La visita al volcán

Pedro Urbina

1   Roberto es un niño de Nicaragua. La casa de Roberto está en Rivas, cerca de la Isla de Ometepe.

2   Un día, la hermana de Roberto, Dorotea, recibe una carta de su amiga Pilar. En la carta, Pilar invita a Dorotea a visitar su casa.

   —¿Quieres visitar a mi amiga Pilar? —pregunta Dorotea. —Su casa está en la Isla de Ometepe.

   —Sí, pero también quiero visitar el Volcán Concepción —dice Roberto.

3   Roberto y Dorotea viajan a la isla para visitar a Pilar. El papá de Roberto y Dorotea, el señor Fuentes, también va con ellos.

   —¡Buenos días, Pilar! Te presento a mi hermano Roberto, y a mi papá —dice Dorotea.

   —Mucho gusto —dice Pilar. —Dorotea, ¿quieres visitar el Volcán Concepción? El volcán está cerca de mi casa. Mi familia y yo visitamos el volcán durante las vacaciones.

   —¡Vamos! —dice Dorotea.

4   Pilar, sus dos amigos y el señor Fuentes visitan el volcán. Todos montan a caballo.

—La Isla de Ometepe tiene dos volcanes: Concepción y Maderos. El Volcán Concepción está cerca y tiene rocas ígneas. El Volcán Maderos está lejos y tiene rocas sedimentarias —explica el señor Fuentes.

—En el mercado hay artesanías de rocas ígneas y de rocas sedimentarias también. ¡Vamos a visitar el mercado! —dice Pilar.

5   Ya es de noche. Los amigos están en la casa de Pilar. Roberto, Dorotea y el señor Fuentes se despiden de Pilar.

—Gracias por mostrarnos el Volcán Concepción. ¡Es muy lindo! —dice Dorotea.

—¡Sí, el volcán es hermoso! ¡Hasta luego! —dice Roberto.

—Gracias por la visita. ¡Vuelvan pronto! —dice Pilar.

Comprendo lo que leí

Discuss the selection with students. Then have them complete the activities on a separate sheet of paper.

1. Roberto y Dorotea viven en...

   a. Ometepe.
   b.) Rivas.
   c. una isla.

2. ¿Quién vive en la Isla de Ometepe?

   a.) Pilar
   b. Roberto
   c. Dorotea

3. ¿Cómo se llama el papá de Roberto y Dorotea?

   a. señor Ometepe
   b. señor Concepción
   c.) señor Fuentes

4. ¿Qué lugares visitan Roberto y Dorotea en la isla?

   a. Rivas, los caballos y la casa de Roberto
   b.) el volcán, el mercado y la casa de Pilar
   c. el parque, Rivas y la casa de Dorotea

5. ¿Quiénes montan a caballo?

   a.) Pilar, Dorotea, Roberto y el señor Fuentes
   b. Pilar, Roberto, la señora Fuentes y Dorotea
   c. Dorotea, Pilar y la amiga de la señora Fuentes

6. ¿A dónde van Roberto y Dorotea después que se   Critical Thinking

   despiden de Pilar?

   Answers will vary.

Discuss with students your community and how you get from one place to another. Then ask the following questions.

Antes de leer

¿Cómo vas de tu casa a la tienda?
How do you go from your home to the store?

¿Qué ves en el camino a la tienda?
What do you see on the way to the store?

¿Cómo son las personas de tu comunidad?
What are the people in your community like?

La carta del abuelo
Pedro Urbina

Have students read the selection. In order to help with comprehension, you may want to use reading strategies, such as echo reading, retell and summarize, and so on. Point out that the highlighted words are defined in the end glossary. Help students with unfamiliar words and structures, and guide them to decode verbs and verb tenses, as necessary.

1   Marcos y Ana son hermanos. Viven en un vecindario pequeño de Asunción, Paraguay. Ellos tienen una carta importante para su abuelo, don Pablo.

2   Primero, Marcos y Ana buscan al abuelo en la casa.

—¿Abuelo, está en la sala? —pregunta Marcos. Pero el abuelo no está en la sala.

—¿Abuelo, está en la cocina? —pregunta Ana.

3   El papá sí está en la cocina, pero el abuelo no.

—Ana, tu abuelo está de compras en la panadería. La panadería está al lado de la farmacia. Busca a tu abuelo allí —dice el papá.

4   Los dos hermanos van a la panadería. El camino no está lejos. La panadería y la farmacia están al lado del parque. Al otro lado del parque está la tienda. En el parque hay una persona, pero los niños no saludan a la persona.

5   Marcos y Ana entran a la panadería. Marcos conoce a la panadera y la saluda.

—Buenos días, señora Ramos —dice Marcos. —Busco a mi abuelo. ¿Está aquí?

—Hola, Marcos. Don Pablo no está aquí. —dice la panadera. —Don Pablo está en la tienda.

6   Entonces, los dos hermanos cruzan el parque y van a la tienda. En el parque hay una persona, pero los niños no saludan a la persona.

7   Marcos y Ana entran a la tienda.

—¿Cómo está usted? —dice Ana al vendedor. —Buscamos a mi abuelo. Es un señor con camisa blanca, pantalón marrón y una corbata azul.

—¿Hablas de don Pablo, niña? Me gusta hablar con él. Es un señor divertido. Pero no está aquí —dice el vendedor.

8   Los hermanos salen de la tienda. Enfrente de la tienda está José, un amigo de Ana, con su perro.

—Hola, José. Estoy preocupada.—dice Ana—. Buscamos a mi abuelo, pero no lo encontramos.

Tu abuelo está en el parque. ¡Vamos! —dice José.

9   Por último, los tres amigos van al parque.

—¡Allí está! —dice José.

—¡Abuelo! —dicen Ana y Marcos.

10   El abuelo está sentado sobre una roca, al lado de un árbol. Ana y Marcos se despiden de José y saludan a su abuelo. El abuelo tiene pan de la panadería y comida de la tienda.

—¡Lo buscamos por todos lados, abuelo! —dice Ana.
—Tenemos una carta importante.

11   El abuelo lee la carta.

—Es de tu abuela. ¡Llega a casa en tres días! —dice el abuelo.

—¡Vamos a casa con las buenas noticias! —dice Ana.

Comprendo lo que leí

Discuss the selection with students. Then have them complete the activities on a separate sheet of paper.

1. Marcos y Ana buscan...

   a. la casa.

   (b.) a su abuelo.

   c. a su papá.

2. ¿Dónde buscan primero?

   a. en la panadería

   b. en el parque

   (c.) en la casa

3. ¿Qué ropa lleva el abuelo?

   a. una camisa blanca y un pantalón azul

   (b.) una camisa blanca, un pantalón marrón y una corbata azul

   c. un pantalón marrón y una corbata blanca

4. ¿Qué hacen Marcos y Ana para ir de la panadería a la tienda?

   a. caminan a la casa

   b. salen de la farmacia

   (c.) cruzan el parque

5. ¿Quién sabe dónde está el abuelo?

   (a.) el amigo de Ana

   b. la panadera

   c. el vendedor

6. ¿Por qué los niños no saludan a la persona que está en el parque?
   Answers will vary.   Critical Thinking

Discuss with students a vacation you have taken. Then ask the following questions.

Antes de leer

¿A dónde vas de vacaciones? Where do you go on vacation?

¿Vas de vacaciones por unos días o por una semana?
Do you vacation for a few days or for a week?

¿Qué te gusta hacer durante las vacaciones?
What do you like to do on your vacation?

¡Vamos a Yucatán!

Pedro Urbina

Have students read the selection. In order to help with comprehension, you may want to use reading strategies, such as echo reading, retell and summarize, and so on. Point out that the highlighted words are defined in the end glossary. Help students with unfamiliar words and structures, and guide them to decode verbs and verb tenses, as necessary.

1   Leo vive en Guadalajara, México. Como esta semana no hay escuela, Leo y su mamá van de vacaciones a la península de Yucatán.

—Mamá, las actividades de la semana de vacaciones están en mi cuaderno —dice Leo.

—¿Sí? Muy bien. ¿Qué quieres hacer hoy? —pregunta la mamá.

—Hoy es lunes y estamos en Mérida. Por la mañana quiero ver la plaza principal y los jardines. Por la tarde quiero visitar la exposición de arte en el museo de la ciudad —dice Leo.

2   Leo y su mamá pasean por Mérida. Visitan muchos lugares y hacen las actividades que Leo tiene en su cuaderno. Después, por la tarde, visitan la plaza.

—Me gusta ir de paseo, hijo. Es muy divertido. ¿Qué quieres hacer el martes? —pregunta la mamá.

—El martes quiero visitar las ruinas de Chichén Itzá. Son ruinas mayas —dice Leo.

—Están lejos de Mérida —dice la mamá.

—Sí, y las playas de Cancún están más lejos. Pero el miércoles y el jueves vamos a Cancún —dice Leo.

—Entonces, vamos a las ruinas y a Cancún en carro —dice la mamá.

3   Leo y su mamá llegan a Chichén Itzá. Buscan un mapa de las ruinas y visitan cada lugar. Por la noche preparan el viaje a Cancún.

4   Leo y su mamá llegan a Cancún el miércoles. Los días son bonitos y las playas son hermosas. Leo aprende a nadar con los peces. La mamá toma muchas fotos.

   —Ahora quiero visitar Tulum. Hay muchas ruinas mayas en Yucatán, pero pocas son como Tulum. ¡Están al lado de la playa!

   —Entonces el viernes vamos a Tulum. Pero por la tarde, quiero estar en Playa del Carmen porque el sábado quiero visitar la isla de Cozumel. Los barcos salen de Playa del Carmen —dice la mamá.

5   El sábado por la tarde, después de caminar por Cozumel, Leo y su mamá llegan a la plaza. Leo lee su cuaderno y se pone triste.
   —¿Por qué estás triste? —pregunta la mamá.
   —La actividad para el domingo es viajar a casa...

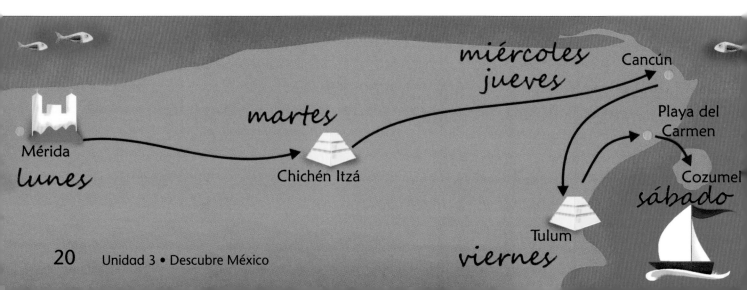

miércoles
jueves
Cancún

martes

Playa del Carmen

Mérida
lunes

Chichén Itzá

Cozumel
sábado

Tulum
viernes

Comprendo lo que leí

Discuss the selection with students. Then have them complete the activities on a separate sheet of paper.

1. Leo va de vacaciones porque…

    a. en Yucatán hay actividades divertidas.

    (b.) no hay escuela.

    c. hay playas en Yucatán.

2. ¿Cuál es la primera actividad de las vacaciones de Leo?

    a. Visitar Chichén Itza.

    (b.) Visitar Mérida.

    c. Visitar Cancún.

3. ¿Dónde hay ruinas mayas al lado de la playa?

    a. en Chichén Itzá

    b. en Cozumel

    (c.) en Tulum

4. Para visitar las ruinas de Chichén Itzá, Leo y su mamá…

    (a.) buscan un mapa.

    b. buscan una isla.

    c. buscan un hotel.

5. ¿Cuál es la última actividad de las vacaciones de Leo?

    a. Visitar la plaza de Cozumel.

    b. Nadar con los peces.

    (c.) Viajar a su casa.

6. ¿Por qué están las actividades en el cuaderno de Leo? Critical Thinking
    Answers will vary.

Discuss with students the definition and characteristics of fables. Then ask the following questions.

Antes de leer

¿Qué es una fábula?
What is a fable?
¿Cómo son los personajes en una fábula?
What are the characters in a fable like?
¿Qué es una moraleja?
What is a moral?

El mono y el Jaguar

Pedro Urbina
adaptación

Have students read the selection. In order to help with comprehension, you may want to use reading strategies, such as echo reading, retell and summarize, and so on. Point out that the highlighted words are defined in the end glossary. Help students with unfamiliar words and structures, and guide them to decode verbs and verb tenses, as necessary.

1   En la selva hay un mono pequeño muy alegre. Tiene una cola larga y fuerte. Usa la cola para colgarse de las ramas. Le gusta saltar de rama en rama. Es un monito marrón muy curioso y le gusta mucho jugar. Juega de día y de noche. Juega con sus amigos y con su familia. También le encantan las aventuras. Viaja aquí y viaja allá.

2   Un día, mientras el monito pasea por la selva, escucha un sonido pero sigue su camino. Luego escucha el mismo sonido... ¡Es un hermoso jaguar amarillo y negro! Es grande y fuerte.

3   "¡Quiero jugar con el jaguar!", piensa el monito y salta de rama en rama hasta llegar al jaguar.

—¡Buenos días, señor jaguar! —grita el monito desde una rama.

—¿Quiere jugar conmigo? —pregunta el monito muy feliz.

4   Pero el jaguar salta y atrapa al monito con sus patas.

—¡Te voy a comer! —grita el jaguar.

—Por favor, prefiero ser su amigo. No quiero ser su comida —dice el monito. —Si un día necesita ayuda, yo le ayudo.

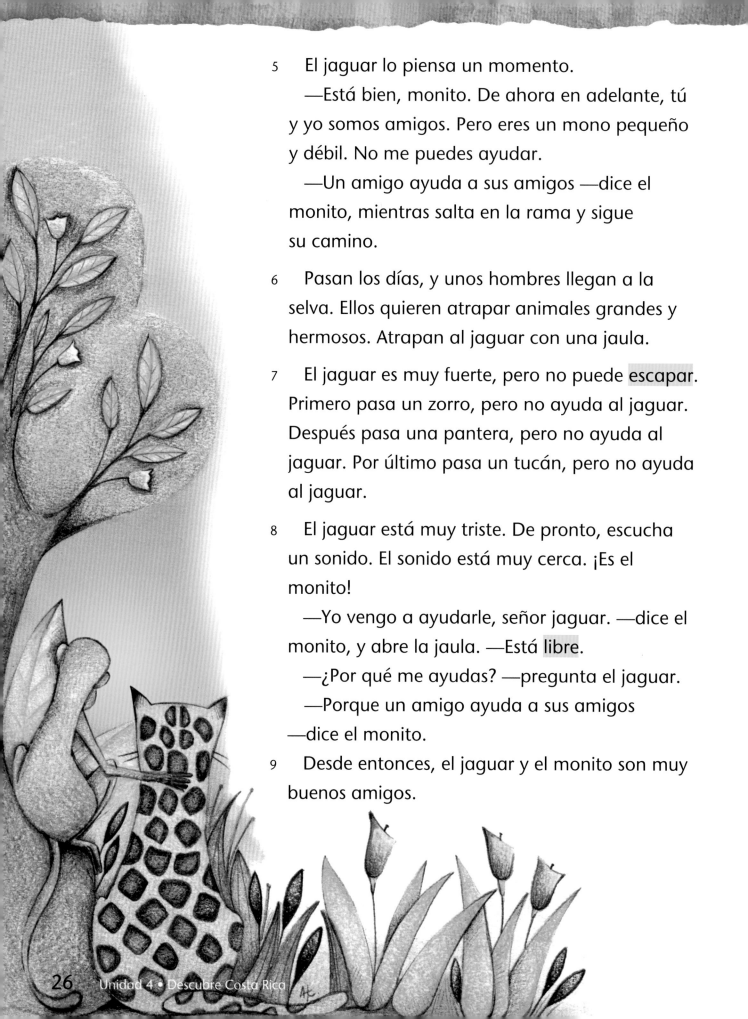

5   El jaguar lo piensa un momento.

—Está bien, monito. De ahora en adelante, tú y yo somos amigos. Pero eres un mono pequeño y débil. No me puedes ayudar.

—Un amigo ayuda a sus amigos —dice el monito, mientras salta en la rama y sigue su camino.

6   Pasan los días, y unos hombres llegan a la selva. Ellos quieren atrapar animales grandes y hermosos. Atrapan al jaguar con una jaula.

7   El jaguar es muy fuerte, pero no puede escapar. Primero pasa un zorro, pero no ayuda al jaguar. Después pasa una pantera, pero no ayuda al jaguar. Por último pasa un tucán, pero no ayuda al jaguar.

8   El jaguar está muy triste. De pronto, escucha un sonido. El sonido está muy cerca. ¡Es el monito!

—Yo vengo a ayudarle, señor jaguar. —dice el monito, y abre la jaula. —Está libre.

—¿Por qué me ayudas? —pregunta el jaguar.

—Porque un amigo ayuda a sus amigos —dice el monito.

9   Desde entonces, el jaguar y el monito son muy buenos amigos.

Comprendo lo que leí

Discuss the selection with students. Then have them complete the activities on a separate sheet of paper.

1. ¿Dónde viven el monito y el jaguar?

   a. en las ramas

   b. en la selva

   c. en un camino

2. ¿Qué quiere hacer el monito con el jaguar?

   a. jugar

   b. saltar

   c. comer

3. Los hombres quieren atrapar al jaguar porque…

   a. está libre.

   b. es grande y hermoso.

   c. quiere escapar.

4. ¿Qué le dice el monito al jaguar cuando abre la jaula?

   a. ¿Quieres jugar conmigo?

   b. ¡Buenos días, señor jaguar!

   c. Está libre.

5. ¿Por qué ayuda el monito al jaguar?

   a. Porque el jaguar es grande y fuerte.

   b. Porque es su amigo.

   c. Porque quiere jugar.

6. ¿Cuál es la moraleja de la fábula? Critical Thinking
   Answers will vary.

Así se dice

Las **letras** en español a veces tienen sonidos parecidos.

➤ **c/s/z** = **c**erdo/**s**andalia/**z**apato

1. Identifica las palabras con el sonido *s*.

selva   comer   dice   camino   sigue   zorro

Las **conjunciones** son palabras que unen dos o más frases o palabras dentro de la oración. Algunas conjunciones son: **y, pero.**

➤ Tiene una cola larga **y** fuerte.   ➤ Escucha un sonido, **pero** el monito sigue su camino.

2. Completa con la conjunción *y* o *pero*.

a. El monito   *y*   el jaguar viven en la selva.

b. El monito es pequeño,   *pero*   el jaguar es grande.

c. El zorro, la pantera   *y*   el tucán no ayudan al jaguar.

3. Busca la palabra que significa lo mismo en la lectura. El número dice en qué párrafo está la palabra.

a. ir de rama en rama (3)   salta

b. hacer lo necesario cuando otro está en peligro (5)   ayudar

c. que no tiene fuerzas (5)   débil

d. lo contrario de alegre (8)   triste

4. Usa las palabras de la actividad anterior para completar las oraciones.

a. El monito   salta   por las ramas.

b. El monito quiere   ayudar   a su amigo a escapar.

c. El jaguar no es   débil   , es muy fuerte.

d. El jaguar está   triste   porque no está libre.

Así se escribe

Los **adverbios** son palabras que modifican el significado de un verbo y dicen de qué modo se hace algo, dónde se hace, cuándo se hace o cómo pasa. Hay varios:

- de lugar: **aquí, allá, cerca, lejos**
- de modo: **bien, mal, rápido, lento**
- de afirmación: **sí, también**
- de duda: **quizás, acaso**

- de tiempo: **luego, entonces, mañana, después**
- de cantidad: **poco, mucho**
- de negación: **no, tampoco**

1. Identifica los adverbios.

   a. (Luego) escucha el mismo sonido.
   b. Viaja (aquí) y viaja (allá).
   c. (También) le encantan las aventuras
   d. El sonido está (cerca).
   e. Desde (entonces), son buenos amigos.
   f. Pasa un tucán, pero (no) ayuda al jaguar.

Los **pronombres personales** se usan para nombrar a personas, animales u objetos, sin usar sustantivos. Los pronombres son: **yo, tú/usted, él, ella, nosotros, nosotras, ustedes, ellos, ellas**.

- **El monito** salta.   =   **Él** salta.

  sustantivo: monito   **pronombre**: Él

2. Cambia el sustantivo subrayado por un pronombre personal.

   a. <u>Los hombres</u> atrapan al jaguar.   Ellos
   b. <u>El jaguar</u> está triste.   Él
   c. El jaguar dice: —¿<u>Monito</u>, me puedes ayudar?   Tú

A escribir

Discuss with students that this is an adaptation of a fable written by Aesop. Summarize two more fables by Aesop and have students point out the moral of each one. Then have them write a paragraph on a separate sheet of paper. Remind them to use correct punctuation.

● Todas las fábulas tienen una moraleja. ¿Por qué? Escribe un párrafo.

Answers will vary.

Review with students the names and characteristics of food: food groups, flavors, and colors. Then ask the following questions.

Antes de leer

¿Qué color tienen las frutas y verduras?
What colors do fruits and vegetables have?
¿Qué sonido hace una manzana?
What sound does an apple make?
¿Qué sabor tiene un plátano?
What does a banana taste like?

¿Qué sabor tiene el color azul?

Pedro Urbina

1   David vive en Alaska con su mamá, su papá y sus abuelos. Los abuelos de David son de Cuba y viven en Estados Unidos desde hace muchos años.

2   Un día David, su papá y su abuelo pasean por el parque. El abuelo ve un mercado de frutas y verduras.

—David, mira los colores de las frutas y las verduras. Los colores de los alimentos en Estados Unidos son muy interesantes —dice el abuelo.

3   Los tres caminan hasta llegar a un puesto de frutas. El abuelo ve unas frutas verdes y amarillas. Toca una de las frutas con sus dedos y le explica a David:

—Esta fruta es el plátano. En Cuba, el plátano es una fruta muy importante. Cuando el plátano está verde se cocina y tiene un sabor similar a la papa. Cuando está amarillo se fríe y tiene un sabor dulce.

—A veces el plátano está negro. Cuando esto pasa, también se cocina y se come. Tiene un sabor muy dulce —dice el papá.

4   En el puesto de frutas también hay una fruta azul y pequeña. Los ojos del abuelo miran con asombro la fruta.

—¡Qué fruta tan azul! Son arándanos, ¿no papá? —dice el papá de David al abuelo, con una sonrisa grande.

5   Entonces el papá le cuenta a David sobre el
abuelo. David se acerca para escuchar bien.

   —Un día, tu abuelo está en el supermercado.
y ve una fruta azul, pequeña y redonda. El abuelo
se pregunta, "¿qué sabor tiene el color azul?". Lee la
palabra *blueberries*, pero no sabe qué significa.

   —Abuelo, *blueberries* son arándanos —dice David.

   —Claro, ahora lo sé, pero antes no —contesta
el abuelo.

6   El papá continúa el cuento.

   —El abuelo compra tres cajas para saborear
el color azul. Se come las tres cajas, y al día
siguiente… ¿Qué crees que le pasó a tu abuelo?

   —¿Qué te pasó abuelo? —pregunta David con
mucho interés.

7   El abuelo mira a David y luego al papá de David.
Primero pone cara seria. Pero entonces el abuelo
se ríe y habla tranquilamente.

   —Lo que pasó es que me enfermé por tres días y
el médico me atendió con mucho cuidado. El color
azul tiene sabor dulce, pero… ¡duele mucho!

8   Los tres se van a casa con sus plátanos y
sus arándanos.

Comprendo lo que leí

Discuss the selection with students. Then have them complete the activities on a separate sheet of paper.

1. ¿De qué es el mercado que ve el abuelo de David?

    a. de plátanos

    b. de arándanos

    (c.) de frutas y verduras

2. ¿De qué color es el plátano cuando está muy dulce?

    a. Es verde.

    b. Es amarillo.

    (c.) Es negro.

3. ¿Cómo es el arándano?

    a. Es una fruta azul y similar a la papa.

    b. Es una fruta grande, azul y dulce.

    (c.) Es una fruta pequeña, azul y dulce.

4. En español, *blueberries* significa…

    (a.) arándanos.

    b. plátanos.

    c. frutas.

5. ¿Por qué se enferma el abuelo de David?

    (a.) Porque come muchos arándanos.

    b. Porque compra arándanos.

    c. Porque el color azul tiene sabor dulce.

6. ¿Qué sabores tienen los colores de la lectura?   Critical Thinking

    El verde, un sabor similar a la papa.
    El amarillo, un sabor dulce.
    El negro, un sabor muy dulce.
    El azul, un sabor dulce.

Así se dice

> **Recuerda** que las **letras** en español a veces tienen sonidos parecidos.
>
> ➤ **ll/y** = allá/**y**o   **r/rr** = ropa/ca**rr**o   **z/s** = nari**z**/adió**s**

1. Escoge el sonido correcto de *y* o *ll*.

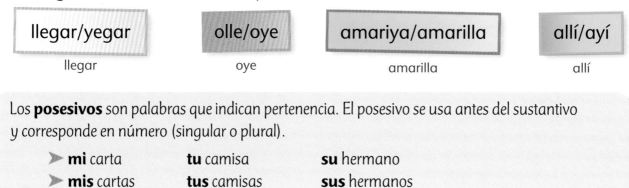

llegar/yegar	olle/oye	amariya/amarilla	allí/ayí
llegar	oye	amarilla	allí

> Los **posesivos** son palabras que indican pertenencia. El posesivo se usa antes del sustantivo y corresponde en número (singular o plural).
>
> ➤ **mi** carta   **tu** camisa   **su** hermano
> ➤ **mis** cartas   **tus** camisas   **sus** hermanos

2. Completa con el posesivo correcto.

   a. David vive en Alaska. (Su/**Sus**) abuelos son de Cuba.

   b. ¿Qué le pasó a (tus/**tu**) abuelo?

   c. A (**mi**/mis) mamá le gusta el plátano.

3. Busca la palabra que significa lo mismo en la lectura. El número dice en qué párrafo está la palabra.

   a. se usan para tocar las cosas (3)   dedos

   b. lo que se siente en la boca al comer o beber (3)   sabor

   c. lo que hace una persona cuando algo es cómico (7)   se ríe

4. Usa las palabras de la actividad anterior para completar las oraciones.

   a. Me gusta el   sabor   de la fruta.

   b. David   se ríe   con el cuento de su abuelo.

   c. El abuelo toca el plátano con sus   dedos   .

Así se escribe

Recuerda que **los adverbios** son palabras que modifican el significado de un verbo y dicen de qué modo se hace algo, dónde se hace, cuándo se hace o cómo pasa.

1. Identifica los adverbios en estas oraciones.

   a. Los tres caminan un (poco).
   b. El abuelo mira a David y (luego) al papá.
   c. El médico lo atendió con (mucho) cuidado.
   d. El mercado está (allí).

Las **oraciones** tienen dos partes: el **sujeto** y el **predicado**. El sujeto es la persona, objeto o animal del que se habla en la oración. El predicado es lo que se dice del sujeto.

➤ El arándano es una fruta.

sujeto: el arándano   **predicado:** es una fruta

2. Identifica el sujeto en estas oraciones.

   a. (El abuelo) compra tres cajas de arándanos.
   b. (El papá) le cuenta un cuento a David.
   c. (La fruta) es azul y pequeña.

3. Identifica el predicado en estas oraciones.

   a. El color azul (tiene sabor dulce).
   b. El abuelo (se enfermó por tres días).
   c. El plátano (es una fruta muy importante en Cuba).

A escribir   Discuss with students the two fruits (*plátanos* and *arándanos*) in the story. Have students point out the different adjectives used to describe each fruit. Then have them write a paragraph on a separate sheet of paper. Remind them to use correct punctuation.

● ¿Cuál es tu fruta favorita? ¿Cómo es y qué sabor tiene? Escribe un párrafo.
Answers will vary.

Review the location of Arica, Chile, on a map. Point out the approximate location of the Desert of Atacama. Then ask the following questions.

Antes de leer

¿Cómo es el clima de Chile en enero?
What is the climate like in Chile in January?
¿Qué animales viven en el desierto?
What kind of animals live in the desert?
¿Hay dinosaurios en el desierto? ¿Por qué?
Are there dinosaurs in the desert? ¿Why?

El dinosaurio de Chile

Pedro Urbina

Have students read the selection. In order to help with comprehension, you may want to use reading strategies, such as echo reading, retell and summarize, and so on. Point out that the highlighted words are defined in the end glossary. Help students with unfamiliar words and structures, and guide them to decode verbs and verb tenses, as necessary.

1 Julia vive en Santiago, Chile. Es enero y hace mucho calor. Ella está de vacaciones y no tiene clases hasta marzo.

—Mamá, yo quiero visitar a mi abuelo en Arica —dice Julia.

—¿Arica? Hace mucho más calor en Arica que aquí, en Santiago —dice la mamá—. ¿Por qué no invitas a tu abuelo a Santiago?

—Pero yo quiero ver el dinosaurio, mamá —dice Julia.

—¿El qué? —pregunta la mamá.

2 Julia le cuenta a la mamá las noticias del abuelo.

—Abuelo dice que el año pasado, un amigo de él visitó el Desierto de Atacama. Viajó en carro hasta el desierto.

3 Julia le explica a su mamá que, de repente, el amigo de su abuelo vio un dinosaurio muy grande en el camino. El dinosaurio rugió, corrió rápidamente y se escapó.

—Abuelo dice que si yo voy ahora en vacaciones, él y yo podemos viajar al desierto a buscar el dinosaurio.

4 La mamá no dice nada. Escucha el cuento de Julia. Cuando Julia termina, la mamá dice con calma:

—Julia, los dinosaurios sólo existen en los museos. No hay dinosaurios en el desierto.

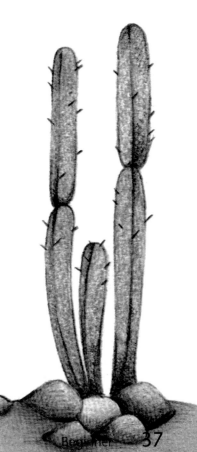

Beginner 37

Find the location of Canaima National Park on a map. Point out the approximate location of Salto Ángel. Then ask the following questions.

Antes de leer

¿Qué parques nacionales hay en tu comunidad?
What national parks are in your community?
¿Qué tienen? What do they have?

¿Cómo es un parque nacional?
What is a national park like?
¿Visitaste alguna vez un parque nacional como el Gran Cañón? Have you ever visited a national park like the Grand Canyon?

Parque Nacional Canaima

Río Caroní
Canaima
Río Carrao

Isla Orquidea
Río Churún

Cañón del Diablo

Wareipa

El Salto Angel✳

Isla Maripa

El Salto Ángel
Pedro Urbina

1   Marcos vive en Caracas, Venezuela. Hoy es sábado. Marcos y su papá desayunan en la cocina mientras hablan de la escuela.

—Papá, tengo que hacer una tarea. El tema es: "Una experiencia inolvidable". Pero yo no sé qué escribir. ¿Me puedes ayudar? ¿Has tenido una experiencia inolvidable alguna vez? —pregunta Marcos.

—Sí. Recuerdo que viajé con tu abuelo al Salto Ángel, hace mucho tiempo. El Salto Ángel es una catarata, y está en el Parque Nacional Canaima.

—Mi maestro de historia dice que el Parque Nacional Canaima es "patrimonio mundial". ¿Qué significa eso, papá? —pregunta Marcos.

2   El papá explica que "patrimonio mundial" es algo que tiene mucho valor cultural o natural para todo el mundo. Por eso hay que cuidar mucho los lugares que son patrimonio mundial.

—Yo tenía 11 años cuando viajé con tu abuelo al Salto Ángel —dice el papá—. El Salto Ángel es la catarata más alta del mundo. Tiene una altura de tres mil pies. Es tan alto como dos *Empire State Building*, uno encima del otro.

—¿Y cómo llegaron a la catarata? —pregunta Marcos.

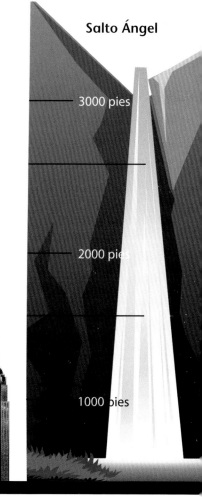

Salto Ángel

3000 pies

2000 pies

1000 pies

Edificio
Empire State

—Bueno, tu abuelo no tenía mucho dinero en aquel tiempo. No usamos la tecnología moderna, como el avión o el carro —dice el papá—. Caminamos durante tres días por la selva del Parque Nacional Canaima. Un guía nos ayudó.

3   El papá le explica a Marcos que durante el día se veían animales tropicales y que de noche se escuchaban los sonidos de animales e insectos. Una vez, vio a un jaguar atrapar a un mono. El papá recuerda ese día…

—Por fin llegamos al Salto Ángel. Era tan alto que el agua no llegaba al lago. El agua se convertía en vapor antes de llegar al lago. El vapor se sentía en todo el cuerpo —explica el papá.

4   Marcos no dice nada y escucha el cuento del papá. De repente, Marcos dice:

—Papá, yo quiero visitar el Salto Ángel como tú y también tener una experiencia inolvidable. ¿Me llevas?

—Tienes que ganarte el viaje, hijo, —dice el papá.

—Sí, papá. ¡Tengo un plan! Estudiaré mucho en la escuela. En casa, haré la tarea todos los días. Usaré la computadora y aprenderé todo sobre el Salto Ángel. Después, planearé el viaje al Parque Nacional Canaima para agosto, cuando tengo vacaciones en la escuela. Finalmente tú, mamá y yo vamos a caminar por la selva y a llegar al Salto Ángel —dice Marcos.

—¿Harás tanto para ver el Salto Ángel? —pregunta el papá.

—Sí, papá, seré el niño más trabajador del mundo. Quiero sentir el vapor de la catarata en la cara y ver jaguares, monos…

Comprendo lo que leí

Discuss the selection with students. Then have them complete the activities on a separate sheet of paper.

1. ¿En qué ciudad vive Marcos?

   a. en Salto Ángel

   b. en Canaima

   (c.) en Caracas

2. ¿Por qué le pide ayuda Marcos a su papá?

   (a.) Porque tiene una tarea y no sabe qué escribir.

   b. Porque no sabe qué es el Salto Ángel.

   c. Porque quiere visitar el Salto Ángel.

3. ¿Cómo llegaron al Salto Ángel el papá y el abuelo?

   a. usaron la tecnología moderna

   (b.) un guía los ayudó

   c. viajaron en un avión

4. ¿Por qué el agua del Salto Ángel no llegaba al lago?

   a. Porque el vapor se sentía en todo el cuerpo.

   (b.) Porque se convertía en vapor antes de llegar al lago.

   c. Porque era una experiencia inolvidable.

5. Para Marcos, tener una experiencia inolvidable es…

   a. comer el desayuno con su papá.

   b. escuchar el cuento.

   (c.) visitar el Salto Ángel.

6. ¿Por qué tiene Marcos un plan para ganarse el viaje? Critical Thinking

   Answers will vary.

Así se dice

Recuerda que las **letras** en español a veces tienen sonidos parecidos.

➤ **b/v** = **b**ata/na**v**e   **r/rr** = **r**opa/ca**rr**o   **z/s** = nari**z**/adió**s**   **ll/y** = a**ll**á/**y**o

1. Escoge la palabra correcta.

   a. inolvidable/inolbidable   inolvidable
   b. conbertía/convertía   convertía
   c. selba/selva   selva
   d. vapor/bapor   vapor
   e. llebas/llevas   llevas
   f. trabajador/travajador   trabajador

Recuerda que el **tiempo del verbo** indica la acción en el tiempo. Los tiempos son: **pasado, presente y futuro.**

   ➤ **Pasado** es el tiempo antes del momento en que se habla: Ayer **tomé** una foto.

   ➤ **Presente** es el momento en que se habla: Hoy **tomo** una foto.

   ➤ **Futuro** es el tiempo después del momento en que se habla: Mañana **tomaré** una foto.

2. Identifica los verbos en futuro en estas oraciones.

   a. En casa (haré) la tarea.
   b. Yo (visitaré) el Santo Ángel.
   c. Yo (seré) el niño más trabajador.

3. Busca la palabra que significa lo mismo en la lectura. El número dice en qué párrafo está la palabra.

   a. caída o salto de agua (1)   catarata
   b. algo que no se puede olvidar (1)   inolvidable
   c. que trabaja mucho (4)   trabajador

4. Usa las palabras de la actividad anterior para completar las oraciones.

   a. Marcos ganará el viaje al Santo Ángel si es ___trabajador___ .
   b. El Parque Nacional Canaima tiene una ___catarata___ .
   c. Marcos quiere tener un viaje ___inolvidable___ .

Así se escribe

1. Usa la puntuación correcta en estas oraciones.

   a. ¿ Me llevas a ver la catarata ?   c. ¡ Estoy muy feliz !

   b. ¡ Seré el niño más trabajador !   d. ¿ Cómo viajaremos a la catarata ?

2. Identifica el sujeto en estas oraciones.

   a. (Marcos) vive en Caracas, Venezuela.

   b. (El agua) se convierte en vapor.

   c. (Yo) tenía 11 años cuando viajé con tu abuelo.

3. Identifica el predicado en estas oraciones.

   a. Nosotros (caminamos durante tres días por la selva).

   b. El Salto Ángel (es la catarata más alta del mundo).

   c. En casa (haré la tarea todos los días).

A escribir

Discuss modern technologies with students, such as GPS units, digital cameras, and electric cars. Then have them write a paragraph on a separate sheet of paper. Remind them to use correct punctuation.

● Vas a crear una nueva tecnología. ¿Qué inventarás? ¿Cómo ayudará tu tecnología a las personas? Escribe un párrafo.   Answers will vary.

Discuss with students Miguel de Cervantes, and talk about his literary contributions. Then ask the following questions.

Antes de leer

¿Quién es tu personaje de cuentos favorito? ¿Cómo es?
Who is your favorite book character? What does he or she look like?
¿Qué cosas hace el personaje?
What things does the character do?
¿Salva o cuida a la gente tu personaje favorito? ¿Cómo?
Does your favorite character save or protect people? How?

El caballero de la triste figura
Pedro Urbina

Have students read the selection. In order to help with comprehension, you may want to use reading strategies, such as echo reading, retell and summarize, and so on. Point out that the highlighted words are defined in the end glossary. Help students with unfamiliar words and structures, and guide them to decode verbs and verb tenses, as necessary.

1   Juana vive en Alicante, España. En la escuela aprende sobre la geografía de España, y mañana aprenderá sobre una región que se llama "La Mancha".

    —Papá, ¿dónde queda la Mancha? —pregunta Juana.

    —"En un lugar de la Mancha, de cuyo nombre no quiero acordarme, no ha mucho tiempo que vivía un hidalgo…" —contesta el papá—. Son las primeras palabras de *Don Quijote de la Mancha*. Yo tenía doce años cuando leí esa frase por primera vez. Es una frase inolvidable. El "hidalgo" es don Alonso Quijano.

2   Juana escucha con mucho interés lo que dice el papá. Ella quiere saber más.

    —¿Y qué significa "hidalgo", papá?

    —"Hidalgo" significa una persona importante o de la nobleza. —contesta el papá—. En el libro, don Alonso Quijano es un hidalgo que lee y lee muchos libros de caballeros. Por leer tantos libros, se vuelve loco. Después cambia su nombre a Don Quijote y quiere hacer cosas de caballeros.

3   Juana mira a su papá con curiosidad. La historia le encanta.

    —¿Qué es un "caballero", papá? —pregunta Juana.

Discuss with students different types of handmade items (shoes, lamps, clothing, and so on). Have them talk about how these items are different from products made in large factories. Then ask the following questions.

Antes de leer

¿Prefieres algo hecho a mano o en una fábrica?
Do you prefer something handmade or factory-made?
¿Por qué a la gente le gusta las artesanías?
Why do people like handmade crafts?
¿Quieres aprender a hacer una artesanía? ¿Cuál?
Do you want to learn how to make a handcraft? Which one?

Ceramista con vasijas

Artesano tejiendo sombreros

La artesanía nicaragüense

Patricia Acosta

Have students read the selection. In order to help with comprehension, you may want to use reading strategies, such as echo reading, retell and summarize, and so on. Point out that the highlighted words are defined in the end glossary. Help students with unfamiliar words and structures, and guide them to decode verbs and verb tenses, as necessary.

1   Una artesanía es un producto o una obra de arte hecha a mano por un artesano. Cada artesanía es única y diferente a las demás y representa una parte importante de la cultura de un país.

2   Nicaragua es conocido por la variedad y belleza de sus artesanías. Artesanos de todo el país transforman materiales como la madera, el barro, el algodón y las conchas de mar en hermosas obras de arte.

3   Cada artesano usa materiales y diseños que representan la región del país donde vive. Ellos usan estos materiales para hacer productos textiles, ropa, cerámicas, muebles y otras artesanías populares.

Mercado Nacional de Artesanías, Masaya, Nicaragua

Muñecas del Mercado Nacional de Artesanías, Masaya, Nicaragua

4   En Nicaragua, la creación de artesanías es un arte que se practica desde hace mucho tiempo. Muchos de los trabajos artesanales tienen características comunes según la región.

5   Durante cientos de años, los artesanos de la región de Masaya han dominado el arte de hacer telas. Aunque ahora hay máquinas modernas para hacer telas, muchos artesanos aún las hacen de la misma forma que las hacían sus antepasados indígenas.

6   Para conseguir el hilo de algodón, los artesanos recolectan las semillas de las plantas de algodón y ponen las semillas blancas sobre tablas. Luego golpean las semillas a mano o con varas para crear las fibras o hilos que necesitan para sus telas. Después tiñen las fibras con colores naturales que encuentran en las plantas o en los animales.

Campo de algodón

7   Para hacer el color morado usan caracoles. Los artesanos atrapan a los caracoles y, cuando estos animalitos se defienden, sueltan un líquido que sirve para teñir las fibras de algodón. Al principio este líquido tiñe el algodón de blanco. Con el aire, el color cambia a amarillo, después a verde y finalmente, con la luz del sol, aparece el color morado.

8   Para hacer el color azul usan el "añil". El añil es un colorante que se obtiene de las ramas de un arbusto llamado añil. Estas ramas se cortan y después se meten en agua.

Artesano tejiendo en un telar

9   Después de preparar los colores, los artesanos tiñen el algodón y lo usan para hacer telas u otros productos textiles. Otros materiales que también usan los artesanos para hacer textiles son el "henequén" o la "cabuya". El henequén y la cabuya son dos tipos de plantas con hojas muy fuertes. Con la fibra de sus hojas se pueden hacer hilos gruesos y muy resistentes. Estos hilos se usan para hacer hamacas, alfombras y otros textiles muy populares.

Hamaca

Figura de barro

10   Los artesanos de San Juan de Oriente son conocidos por sus bellas artesanías de cerámica. Estas artesanías son parte de una tradición familiar y es una actividad que los padres les enseñan a sus hijos. Los artesanos hacen vasijas a mano mezclando el barro con la arena. Luego humedecen el barro, le dan la forma que desean y meten las figuras en un horno para secarlas. Estas cerámicas sirven para decorar o para guardar líquidos y comida.

11   Los artesanos del Departamento de Carazo son conocidos por sus tejidos, bordados y artículos de cuero. En la región de Granada, los artesanos son muy buenos joyeros. Ellos hacen lindas joyas de oro y plata. En León, por su parte, muchos se dedican a hacer muebles y figuras de hierro y madera. Y en San Juan de Limay, los artesanos son famosos por sus bellas esculturas.

12   Hoy en día, cientos de familias nicaragüenses viven de la venta de artesanías. Estos productos se venden en mercados y tiendas alrededor del país y a través de Internet.

Niña con vasija de barro

Comprendo lo que leí

Discuss the selection with students. Then have them complete the activities on a separate sheet of paper.

1. Una artesanía es…

   a. un producto hecho de barro, madera, algodón o conchas de mar.

   b. un producto con un diseño de una región.

   (c.) un producto o una obra de arte hecha a mano por un artesano.

2. ¿Qué usa el artesano nicaragüense para crear su artesanía?

   (a.) materiales y diseños de su región

   b. artesanías populares

   c. máquinas modernas

3. Los artesanos consiguen el hilo de algodón de…

   a. las fibras de algodón.

   (b.) las semillas de las plantas de algodón.

   c. las telas de algodón.

4. ¿Qué artesanos hacen vasijas?

   a. los de joyas

   (b.) los de cerámica

   c. los de textiles

5. ¿Qué materiales usan los joyeros?

   a. tejidos y cuero

   b. hierro y madera

   (c.) plata y oro

6. ¿Crees que es importante vender artesanías a través de Internet? ¿Por qué? Critical Thinking

   Answers will vary.

Así se dice

Las **letras** en español a veces tienen sonidos parecidos.

➤ **c/s/z** = humede**c**e / arte**s**anía / cabe**z**a

➤ **c/k** = **c**asa / **k**arate

➤ **j/g** = **j**ardín / **g**eranio

1. Identifica las palabras con el sonido *s*.

   a. (principio)   c. caracol   e. cabuya

   b. cultura   d. (aparece)   f. (hacer)

2. Identifica las palabras con el sonido *c*.

   a. (hamacas)   c. belleza   e. tradición

   b. (conchas)   d. (única)   f. (cabuya)

3. Identifica las palabras con el sonido *j*.

   a. algodón   c. según   e. luego

   b. (vasija)   d. (indígenas)   f. (región)

4. Busca la palabra que significa lo mismo en la lectura. El número te dice en qué párrafo está la palabra.

   a. persona que se dedica a la artesanía (1)   artesano

   b. hilos que se usan para hacer telas (6)   fibras

   c. mezcla de tierra y agua (10)   barro

5. Usa las palabras de la actividad anterior para completar las oraciones.

   a. Los artesanos tiñen las ___fibras___ de diferentes colores.

   b. El ___artesano___ vende sus productos en el mercado.

   c. En la cerámica se usa el ___barro___ para hacer vasijas.

Así se escribe

Los **pronombres personales** son palabras que se usan para nombrar personas, animales o u objetos, sin usar sustantivos. Los pronombres son: **yo**, **tú/usted**, **él**, **ella**, **nosotros**, **nosotras**, **ustedes**, **ellos**, **ellas**.

➤ Los artesanos son muy buenos joyeros.
➤ sustantivo: los artesanos

➤ Ellos son muy buenos joyeros.
➤ pronombre: ellos

1. Cambia el sustantivo subrayado por un pronombre personal.

a. El artesano usa materiales y diseños de su región.   Él

b. Las familias nicaragüenses compran artesanías en los mercados.   Ellas

c. Mi amigo y yo teñimos las fibras con colores naturales.   Nosotros

d. Mi amiga es una artesana de cerámica.   Ella

Los **adverbios** son palabras que modifican el significado de un verbo y dicen **de qué modo** se hace algo, **dónde** se hace, **cuándo** se hace o **cómo** pasa. Algunos adverbios de tiempo son: **antes**, **después**, **todavía siempre**, **ahora**, **entonces**.

2. Identifica los adverbios de tiempo en el párrafo.

(Al principio) este líquido tiñe el algodón de blanco. Con el aire, el color cambia a amarillo, (después) a verde y (finalmente,) con la luz del sol, aparece el color morado.

Los artesanos hacen vasijas a mano mezclando el barro con la arena. (Luego) humedecen el barro.

A escribir

Discuss with students the different types of handmade crafts from Nicaragua, and any personal experience they have making handmade crafts. Then have them write a paragraph on a separate sheet of paper. Remind them to use correct punctuation.

● Imagina que eres un artesano o una artesana. ¿Qué artesanía haces? ¿Cómo haces tu artesanía? ¿Qué materiales usas? Escribe un párrafo.

Answers will vary.

Discuss with students what happens when one moves from one neighborhood, city or town to another. Point out the process of moving as well as the emotions involved. Then ask the following questions.

Antes de leer

¿Qué pasa cuando uno se muda de un barrio, ciudad o pueblo a otro? What happens when one moves from a neighborhood, city or town to another?

¿Qué hay que preparar? What do you prepare?

¿Cómo se siente uno? How do you feel?

Jorge se mudó a la ciudad

Lourdes M. Cobiella
adaptación

Have students read the selection. In order to help with comprehension, you may want to use reading strategies, such as echo reading, retell and summarize, and so on. Point out that the highlighted words are defined in the end glossary. Help students with unfamiliar words and structures, and guide them to decode verbs and verb tenses, as necessary.

1   Jorge y su familia vivieron toda su vida en Sapucai, un pueblo en el Departamento de Paraguarí, en Paraguay. Pero hace unos pocos meses, el papá de Jorge consiguió un nuevo trabajo en la ciudad de Asunción. El papá sabía que a Jorge no le alegraría mucho la noticia.

—Tenemos que mudarnos a Asunción —el papá informó un día a la familia.

—¡Pero a mí me gusta vivir en el pueblo! —dijo Jorge enojado. —Conozco a todos los chicos y chicas del lugar. Además, puedo ir caminando a la escuela.

—No te preocupes, Jorge. También te va a gustar Asunción —contestó la mamá. —Recuerda que es la capital de nuestro país. Vas a conocer muchos lugares interesantes.

—Yo sé que en el pueblo todos nos conocemos. Pero en la ciudad podrás conocer a otros chicos y chicas. Estoy seguro que también hay escuelas maravillosas —dijo el papá.

2   Jorge pensaba en los paseos por el campo con sus amigos. Recordaba sus visitas con el abuelo a la vieja estación de ferrocarril. Sapucai era un pueblo rodeado de cerros y leyendas. No se imaginaba viviendo en una ciudad. ¿Cómo serían los chicos y chicas en una ciudad grande? ¿Cómo sería su nueva escuela? A Jorge le preocupaban todas estas cosas. No podía imaginarse que le pudiera gustar otro lugar que no fuera Sapucai.

* * *

3   Ahora Jorge y su familia vivían en la ciudad. En la ciudad todo era distinto. En el pueblo los barrios eran pequeños. Tenía amigos que vivían en diferentes barrios, pero podía visitarlos sin caminar largas distancias. En Asunción los barrios eran mucho más grandes. Algunas familias vivían en edificios de varios pisos, y no en casas particulares.

—Hay más gente en la ciudad, pero casi nadie me conoce —se lamentaba Jorge con su mamá, recién llegados de Sapucai.

—Poco a poco conocerás más gente—le dijo la mamá para consolarlo. —A mí me gusta la ciudad. ¡Me encanta ir al supermercado!

—¡Y a mí al cine cerca de casa! —exclamó el papá, tratando de animar a Jorge.

4   En la ciudad también había cosas que le gustaban a Jorge. Su mamá tenía razón. En la capital había lugares interesantes, como los museos donde aprendía sobre la historia y el arte de Paraguay, el Palacio de los López, el Cabildo y el Panteón Nacional de los Héroes. También estaba la Bahía de Asunción, donde a veces podía disfrutar de una competición de remo. Su lugar preferido era la Estación Central de Ferrocarril. Era el primer lugar que llevaría a su abuelo en su visita a Asunción.

5   Aunque ya no caminaba a la escuela y tenía que ir en colectivo, la escuela tenía cosas nuevas que le gustaban a Jorge. Ésta era mucho más grande que la del pueblo. El primer día de escuela, Jorge se perdió tratando de encontrar su salón de clases. El patio de la escuela del pueblo era pequeño, pero en Asunción la escuela tenía una cancha de fútbol y hasta otra de baloncesto. Nunca había jugado baloncesto, pero ahora lo practicaba todos los días.

También tenía varios profesores, uno para cada asignatura. En el pueblo, sin embargo, tenía solamente a la profe María Elvira. ¡Ella enseñaba todas las asignaturas!

6   Un día, a la salida de la escuela, unos chicos y chicas del barrio se acercaron a Jorge. Lo habían visto solo y algo triste, y decidieron hablarle.

—¡Hola, Jorge! —le saludó uno de los chicos. —Queremos ser tus amigos. Sabemos que no tienes muchos amigos en la ciudad.

—Sí —contestó Jorge. —Me encantaría que fueran mis amigos. Extraño mucho a mis amigos del pueblo. También extraño mucho a mi abuelo. Me gustaría volver al pueblo de vez en cuando para ir al arroyo a jugar con ellos.

—Pues, por ahora, puedes jugar con nosotros —contestó una de las chicas. —¿Qué te parece si jugamos fútbol o baloncesto? Podemos hacer dos equipos: un equipo de chicos y otro de chicas. ¡Seguro que vamos a ganarle a los chicos!

—También puedes acompañarnos al cine. Todos los domingos, mi abuelo nos lleva al cine —dijo entusiasmado otro chico.

7 Al regresar esa tarde a su casa, Jorge le contó a su mamá y a su papá sobre sus nuevos amigos.

—¡Me alegra mucho saber que ya tienes más amigos! —le dijo la mamá, abrazando a Jorge.

—Ya ves, Jorge. Mudarnos a la ciudad no fue tan malo. Cuando regresemos de visita al pueblo, le puedes contar a los chicos sobre tus nuevos amigos.

—Y también les voy a contar sobre el juego de baloncesto. ¡Por cierto, el equipo de las chicas nos ganó! —dijo Jorge sonriendo, pensando en todo lo que se había divertido en su nueva casa, la ciudad de Asunción.

Comprendo lo que leí

Discuss the selection with students. Then have them complete the activities on a separate sheet of paper.

1. Jorge y su familia se mudaron de…

   a. una ciudad a un departamento.
   b. un pueblo a una ciudad.
   c. de una ciudad a un pueblo.

2. ¿Por qué se mudó la familia de Jorge?

   a. Porque el papá quiere vivir en la capital.
   b. Porque Jorge va a conocer otros chicos.
   c. Porque el papá de Jorge consiguió un nuevo trabajo.

3. ¿De qué se lamentaba Jorge con su mamá?

   a. De que casi nadie lo conoce en la ciudad.
   b. De que el cine no estaba cerca de la casa.
   c. De que los edificios tenían varios pisos.

4. ¿Dónde aprendía Jorge sobre la historia y el arte de Paraguay?

   a. en el Palacio de los López
   b. en la Estación Central de Ferrocarril
   c. en los museos

5. Jorge extrañaba mucho…

   a. a su abuelo y a la profe María Elvira.
   b. a sus amigos y a su abuelo.
   c. a sus amigos y los paseos.

6. Tanto en Sapucai como en Asunción, hay un lugar que a Jorge le gusta visitar. ¿Qué lugar es? Critical Thinking

   La vieja estación de ferrocarril en Sapucai y la Estación Central de Ferrocarril en Asunción.

Así se dice

For both pages, discuss the concepts in the boxes and be sure students understand the examples. Then have them complete the activities on a separate sheet of paper. Assist students as necessary. For **Así se dice**, have students read aloud the sounds as they complete the activities.

> Las **palabras agudas** son las que tienen la fuerza de la pronunciación en la última sílaba.
> Si terminan en **n**, **s** o **vocal**, lleva un acento.
>
> ➤ sin acento: re-gre-**sar**   ga-**nar**
>
> ➤ con acento: tam-**bién**   po-**drás**   pa-**pá**

1. Separa en sílabas las palabras. Identifica las palabras agudas.

   a. (atrás) a-trás

   b. (contestó) con-tes-tó

   c. López Ló-pez

   d. (ciudad) ciu-dad

   e. (competición) com-pe-ti-ción

   f. arroyo a-rro-yo

> Los **pronombres reflexivos** indican la persona que hace la acción. Los pronombres reflexivos son: **me** (yo), **te** (tú), **se** (él/ella, ellos/ellas, usted/ustedes), **nos** (nosotros).
>
> ➤ (yo) **me** mudo
>
> ➤ (tú) **te** mudas
>
> ➤ (él/ella/usted) **se** muda
>
> ➤ (ellos/ellas/ustedes) **se** mudan
>
> ➤ (nosotros) **nos** mudamos

2. Completa con un pronombre reflexivo.

   a. (nosotros) Nos conocemos.

   b. (yo) Me encantaría.

   c. (él) Se perdió.

   d. (ellos) Se acercaron.

3. Busca la palabra que significa lo mismo en la lectura. El número dice en qué párrafo está la palabra.

   a. espacios entre dos cosas o personas (3)   distancias

   b. clase que se enseña en la escuela (5)   asignatura

   c. lugar en una ciudad o pueblo, donde vive un grupo de personas (6)   barrio

4. Usa las palabras de la actividad anterior para completar las oraciones.

   a. El   barrio   en Sapucai era pequeño.

   b. Jorge caminaba largas   distancias   para visitar a sus amigos.

   c. Jorge tenía un profesor para cada   asignatura   .

Así se escribe

Los **adjetivos** son palabras que indican cómo son las personas, lugares, objetos o animales.

➤ persona: El niño está **triste**.   ➤ lugar: La ciudad es **grande**.

➤ animal: El perro es **blanco** y **negro**.   ➤ objeto: El edificio es **alto**.

1. Identifica los adjetivos en estas oraciones.

   a. En la ciudad todo era (distinto).

   b. Jorge estaba (enojado).

   c. En la capital había lugares (interesantes).

2. Completa las oraciones con un adjetivo.

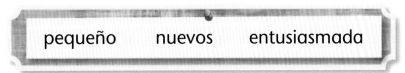

   pequeño   nuevos   entusiasmada

   a. El barrio del pueblo era   pequeño   .

   b. La mamá estaba   entusiasmada   con el nuevo barrio.

   c. Jorge le contó a su papá sobre sus   nuevos   amigos.

El **tiempo del verbo** indica la acción en el tiempo. Los tiempos son: **pasado**, **presente** y **futuro**.

➤ Pasado, es el tiempo antes del momento en que se habla: Él **informó** a la familia.

➤ Presente, es el momento en que se habla: Él **informa** a la familia.

➤ Futuro, es el tiempo después del momento en que se habla: Él **informará** a la familia.

3. Identifica el tiempo de los verbos subrayados en estas oraciones.

   a. <u>Recordaba</u> sus visitas con el abuelo a la vieja estación del tren.   pasado

   b. En la ciudad <u>hay</u> escuelas maravillosas.   presente

   c. El papá <u>consiguió</u> un nuevo trabajo en Asunción.   pasado

A escribir Discuss with students the similarities and differences between Sapucai and Asunción. Remind students that Sapucai is a small town, and Asunción a big city. Then have them write a paragraph on a separate sheet of paper. Remind them to use correct punctuation.

● ¿En qué se parece un pueblo a una ciudad? ¿En qué se diferencia?

Escribe un párrafo.   Answers will vary.

Discuss with students that sometimes people have different opinions on how to use or do something. Point out that only we can decide what is best, based on our own needs. Then ask the following questions.

Antes de leer

Cuando viajas ¿cómo decides qué medio
When you travel, how do you decide which means
de transporte usar?   of transportation to use?

¿Cuándo montarías en un burro como
When would you use a donkey as a means of
medio de transporte?   transportation?

¿Cuántas personas puede llevar un burro?
How many people can a donkey carry?

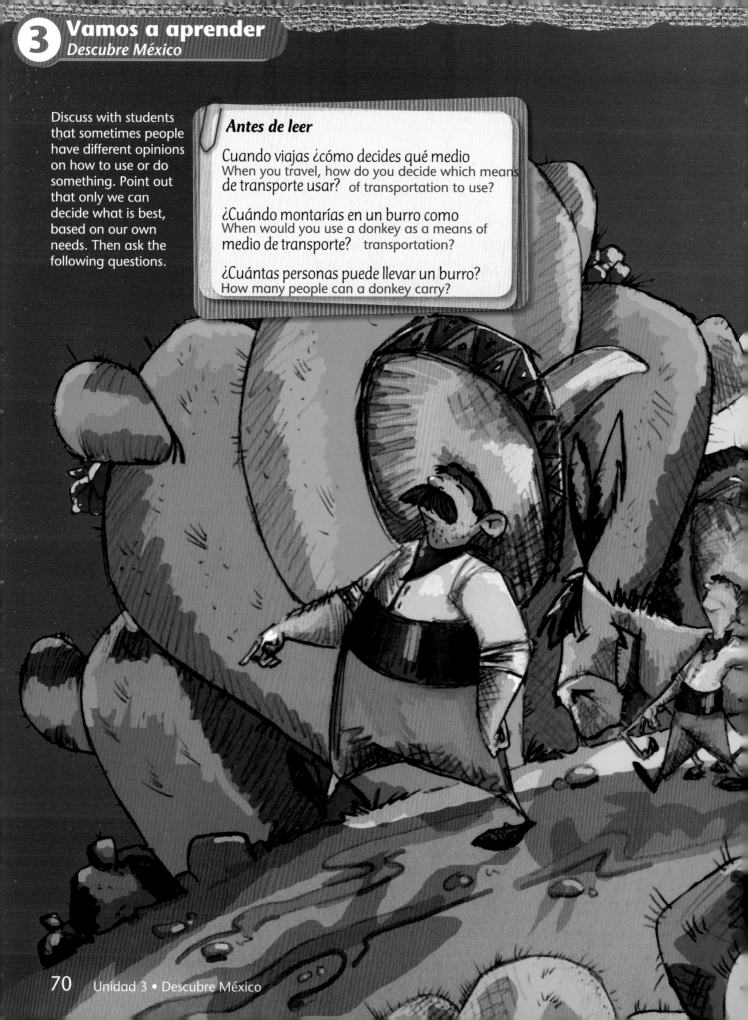

Fábula del buen hombre y su hijo

Mireya Cueto
adaptación

Personajes: Campesino, Hijo, Guamuchi (el burro), Un caminante, Doña Petra, El viejo y La niña

Escenografía: Un campo con casitas y árboles al fondo

1 (*Aparecen en escena un* Campesino, *su* Hijo *y un* Burro.)

Campesino. —Dime, Pedrito, ¿ya le diste de comer a Guamuchi?

Hijo. —Sí, papá. ¿Y a dónde vamos tan temprano?

Campesino. —Vamos al pueblo a hacer algunas compras. Anda, apúrate, que ya es tarde.

2 (*Caminan un poco. Aparece en escena un* Caminante.)

Caminante. —Buenos días... ¿A dónde van tan de mañana?

Campesino. —A San Isidro, señor.

Caminante. —Perdone la pregunta, ¿cómo es que van a pie teniendo un burro?

Hijo. —¡Es cierto, papá! El señor tiene razón.

Campesino. —Le agradezco su consejo... y adiós, que se nos hace tarde. (*Sale el* Caminante) ¿Quién de los dos se subirá en el burro?

Hijo. (*Amable.*) —Súbete tú, papá. Yo puedo ir a pie.

3 *(El C<small>AMPESINO</small> se sube al burro y caminan otro poco.*
Entra en escena una mujer con su canasta.)

C<small>AMPESINO</small>. —Buenos días, doña Petra.

D<small>OÑA</small> P<small>ETRA</small>. —Buenos días. *(Se detiene y observa.)*
No es que me quiera meter en lo que no me
importa... pero, ¿cómo es que este pobre niño
tierno y débil va a pie, y el hombre fuerte y
vigoroso va montado en el burro?

H<small>IJO</small>. *(Pensativo)* —Doña Petra tiene razón, ¿no te
parece?

D<small>OÑA</small> P<small>ETRA</small>. —Buen viaje, y adiós. *(Sale de escena.)*

H<small>IJO</small>. —¿Qué te parece si hacemos como dice doña
Petra?

C<small>AMPESINO</small> —Probemos.

4 *(El C<small>AMPESINO</small> se apea y el niño se sube al burro.*
Avanzan otro poco. Entra un hombre viejo.)

V<small>IEJO</small>. —Buen día... *(Se detiene y observa.)*

C<small>AMPESINO</small>. — Buenos días...

V<small>IEJO</small>. —¡Qué barbaridad! En mis tiempos no se
veían estas cosas. Un muchacho lleno de vida
montado en un burro y su pobre padre va a
pie. ¡Qué falta de respeto! ¡Qué tiempos, qué
tiempos, señor!

(Murmurando bajito, el V<small>IEJO</small> va saliendo de escena.)

C<small>AMPESINO</small>. —¿Qué opinas de lo que nos dijo el
viejo?

H<small>IJO</small>. —Que tiene mucha razón y que lo mejor será
que tú también te subas en Guamuchi.

5 *(El Campesino se sube en el Burro y avanzan un poco. Entra una Niña a escena. Viene corriendo.)*

Niña. *(Se acerca al burro.)* —¡Qué burrito tan lindo! ¿Cómo se llama?

Hijo. —Se llama Guamuchi.

Niña. —¡Pobre Guamuchi! ¡Miren nada más qué cara de cansancio! ¡Qué ocurrencia! Montarse los dos sobre el pobre burro. ¡Pobre burrito! *(Sale.)*

Campesino. *(Un poco impaciente.)* —Y ahora, ¿qué vamos a hacer, hijo?

Hijo. —Yo creo que esa niña tiene razón, papá. Guamuchi se ve muy cansado. Para que ya nadie nos vuelva a criticar, ¿qué tal si cargamos al burro?

Campesino. —Como tú digas. A ver qué pasa.

(Los dos se apean del burro y lo cargan. Caminan con bastante trabajo y nuevamente aparecen el Caminante, Doña Petra, el Viejo y la Niña.)

6 Caminante. *(Riendo.)* —¡Nunca vi cosa igual!

Doña Petra. *(Riendo.)* —¡Qué par de tontos!

Viejo. —¡Qué chistosos se ven cargando al burro!

Niña. *(Burlona.)* —Dos tontos cargando un burro...

(Todos van saliendo entre burlas y risas.)

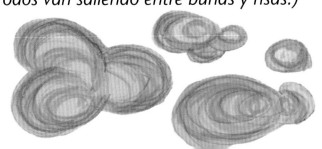

7 CAMPESINO. *(Medio enojado.)* —¿Y ahora qué vamos a hacer? *(Dejan al burro.)*

HIJO. *(Muy pensativo.)* —La verdad, no sé, papá. Quisimos hacer lo que ellos decían, pero no les dimos gusto. Todos nos criticaron y, además, se burlaron de nosotros.

CAMPESINO. —Mira hijo, quise que vieras con tus propios ojos como hay muchas opiniones distintas y no es posible darle gusto a todo el mundo.

HIJO. —Ya me di cuenta, papá. Tratando de complacerlos, lo único que sacamos fue que todos se burlaran de nosotros… pero, ¿qué vamos a hacer ahora?

CAMPESINO. —Pues piensa bien y decide lo que tú creas que es mejor.

HIJO. —Aunque no todo el mundo esté de acuerdo. ¡Ya sé! Tu irás montado en el burro una parte del camino y yo iré montado otra parte del camino. También podemos ir un rato a pie para que Guamuchi descanse.

CAMPESINO. *(Se sube al burro.)* —¡Muy bien pensado, hijo mío! Así lo haremos. ¡En marcha, Guamuchi!

HIJO. *(Convencido.)* —Diga la gente lo que diga.

(Trotan hasta salir de escena. Van cantando: "Arre que llegando al caminito... aquimichú, aquimichú...)"

Telón

Comprendo lo que leí

Discuss the fable with students. Then have them complete the activities on a separate sheet of paper.

1. El caminante aconseja que…

   a. el hijo se suba al burro.

   b. el padre se suba al burro.

   (c.) alguien se suba al burro.

2. Doña Petra aconseja que…

   (a.) el hijo se suba al burro.

   b. el padre se suba al burro.

   c. carguen al burro.

3. El hombre viejo cree que…

   (a.) el padre no debe ir a pie.

   b. el burro está muy cansado.

   c. el padre debe cargar al burro.

4. Después de hablar con la niña, el padre y el hijo deciden…

   a. seguir montados en burro.

   (b.) cargar al burro.

   c. deshacerse del burro.

5. ¿Qué hacen el caminante, Doña Petra, el viejo y la niña, cuando aparecen nuevamente?

   a. Critican al padre y al hijo.

   b. Se montan en el burro.

   (c.) Se burlan y se ríen del padre y del hijo.

6. ¿Cuál es la moraleja de la fábula? Critical Thinking

   Possible Answers: Que hay muchas opiniones distintas y que no es possible darle gusto a todo el mundo. Que uno mismo debe decidir qué es mejor.

Así se dice

For both pages, discuss the concepts in the boxes and be sure students understand the examples. Then have them complete the activities on a separate sheet of paper. Assist students as necessary. For **Así se dice,** have students read aloud the sounds as they complete the activities.

Las **palabras esdrújulas** son las que tienen la fuerza de la pronunciación en la antepenúltima sílaba. Todas las palabras esdrújulas llevan un acento gráfico, o tilde.

> **ár**-bo-les   **úl**-ti-mo   **pá**-ja-ro

1. Separa en sílabas las palabras. Identifica las palabras esdrújulas.

   a. dónde dón-de   c. adiós a-diós   e. cómo có-mo

   b. (apúrate) a-pú-ra-te   d. (súbete) sú-be-te   f. (único) ú-ni-co

Los **verbos regulares** son los que mantienen la raíz en todos los tiempos.

> ganar: **gan**o, **gan**é, **ga**narás

> caminar: **camin**o, **camin**aré, **camin**arás

Los **verbos irregulares** son los que cambian su raíz.

> decir: **dig**o, **dij**e, **di**rás

> tener: **teng**o, **tuv**e, **tend**ré

2. Identifica si el verbo es regular o irregular.

   a. detener: detiene regular   c. volver: vuelva irregular

   b. montar: montado regular   d. perder: pierdo irregular

3. Busca la palabra que significa lo mismo en la lectura. El número dice en qué párrafo está la palabra.

   a. opinión que da una persona sobre lo que se debe hacer o no hacer (2)
      consejo
   b. falta de fuerzas (5) cansancio

   c. persona que se burla o se ríe de otros (6) burlona

4. Usa las palabras de la actividad anterior para completar las oraciones.

   a. La niña ____burlona____ pensó que el padre y el hijo eran tontos.

   b. El padre y el hijo siguieron el ____consejo____ del caminante.

   c. El burro no podía caminar, porque tenía mucho ____cansancio____.

Así se escribe

Las **expresiones idiomáticas** son frases que significan algo diferente de lo que dicen.

➤ El niño **metió la pata** cuando no hizo caso.

significado incorrecto: El niño puso la pierna en algún lado.

significado correcto: El niño se equivocó.

1. Identifica la expresión idiomática con su significado correspondiente.

| ¡Qué ocurrencia! | ¡Miren nada más...! | ¡Qué barbaridad! |

a. ¡Qué ocurrencia! : Cómo se te puede ocurrir o pensar eso.

b. ¡Miren nada más...! : Solamente tienes que mirar para saber que es así.

c. ¡Qué barbaridad! : Algo que es increíble.

2. Completa con las expresiones idiomáticas de la actividad anterior.

a. ¡Miren nada más! qué triste está el burro!

b. ¡Qué ocurrencia , caminar en vez de montar el burro.

c. ¡Qué barbaridad ,¿cómo puedes comer tanto?

Recuerda que los **adjetivos** son palabras que indican cómo son las personas, lugares, objetos o animales.

3. Identifica los adjetivos en estas oraciones.

a. El niño es (tierno) y (débil).

b. El hombre (fuerte) y (vigoroso) va montado en el burro.

c. Guamuchi se ve muy (cansado).

A escribir Discuss with students the problem presented in the fable. Review the different solutions that the characters proposed to the man and his son. Then have them write a paragraph on a separate sheet of paper. Remind them to use correct punctuation.

● Vas a la escuela en bicicleta, pero hoy está rota. ¿Cómo llegarás a la escuela? Indica tres soluciones. ¿Cuál es la mejor? Escribe un párrafo.

Answers will vary.

Discuss with students what they know about lions. Have them share the characteristics of lions, food preferences, habitat, and enemies. Then ask the following questions.

Antes de leer

¿Qué pasa en un bosque cuando hay animales fuertes y débiles?
What happens in a forest when there are strong animals and weak animals?

¿Cómo pueden protegerse los animales débiles de los más fuertes?
How can weaker animals protect themselves from stronger animals?

Fábula de Tío Conejo y el gran León

Alfonso Chase
adaptación

Have students read the fable. In order to help with comprehension, you may want to use reading strategies, such as echo reading, retell and summarize, and so on. Point out that the highlighted words are defined in the end glossary. Help students with unfamiliar words and structures, and guide them to decode verbs and verb tenses, as necessary.

1   En el bosque todos los animales vivían en continuo susto, porque don León, cuando salía de cacería hacía grandes descalabros entre las diferentes familias: un día un conejo, el otro un zorro, más adelante todos los patos y otras veces acababa con familias enteras de ardillas.

2   Para ver que se hacía, y poder vivir sin miedos ni sobresaltos, se reunieron un día todos los animales con don León y le dijeron a una sola voz:

—¿Qué necesidad tiene usted, Don León, de andar buscando entre el bosque su alimento? Si le parece bien, nosotros mismos le traeremos su alimento todos los días.

3   A don León le pareció muy bien el trato y desde ese día los animales se reunían en la madrugada, jugaban naipes y el que perdía era la presa prometida a don León. Luego del final del juego el perdedor tenía que ir hasta la cueva de don León para que éste se lo comiera. Así evitaron los animales el que don León anduviera haciendo desastres. Desde ese momento los animales tuvieron una vida más calmada, para dedicarse a sus diferentes actividades y oficios.

4   Pero resulta que un día Tío Conejo perdió la partida de naipes y, ni corto ni perezoso, empezó a refunfuñar, a hacer morisquetas, a decir:

—Yo no juego, para qué jugué, estos juegos no me gustan…

5   Y así siguió diciendo muchas cosas más. Pero nadie lo dejó quieto, hasta que a empujones lo fueron llevando hasta la cueva de don León. De camino, ya casi llegando, Tío Conejo, que iba muy pensativo, le dijo a su escolta:

—Hagamos un trato: si me dejan aquí, yo mismo voy hasta la cueva y les libro de la obligación de estarse muriendo por darle comida al león. Ya es mucha alcahuetería. ¡Sólo porque es el más fuerte! ¿Para qué tenemos la cabeza?

6   Los otros animales no aceptaron de buenas a primeras la nueva idea del Tío Conejo, sino que se consultaron entre ellos, muertos del susto, pero al fin dijeron:

—Nada se pierde Tío Conejo, de todas maneras si sales mal de tu empresa, el león te come. Corre y ve qué haces.

7   Despacito se fue acercando Tío Conejo hasta la cueva de don León, rascándose la cabeza y sin llamarlo hasta que el sol estuvo en la mitad del cielo.

8   A las doce en punto llegó Tío Conejo a la puerta de la cueva donde ya estaba esperándolo el león, furioso y rugiendo:

—¿Por qué te demoraste tanto Tío Conejo? ¿Es que ya se les olvidó el trato que hicimos?

9   Y Tío Conejo haciéndose el agitado le contestó:

—Perdone don León. Es que venía con un regalito para usted: un rico panal de miel para que le sirviera de postre, pero por el camino me lo arrebató un gran león y cuando le dije que el panal era para usted me dijo: "Dile a ese tal por cual que Yo soy el señor de esta tierra y que se vaya de este bosque porque si no lo voy a sacar cuando menos lo piense. ¡Qué se vaya rápido si no quiere morirse en menos de lo que canta un gallo!"

10   Y don León, furioso, se puso a rugir como nunca, diciendo:

—¡Muévete rápido, que quiero que me enseñes a ese entrometido ahora mismo!

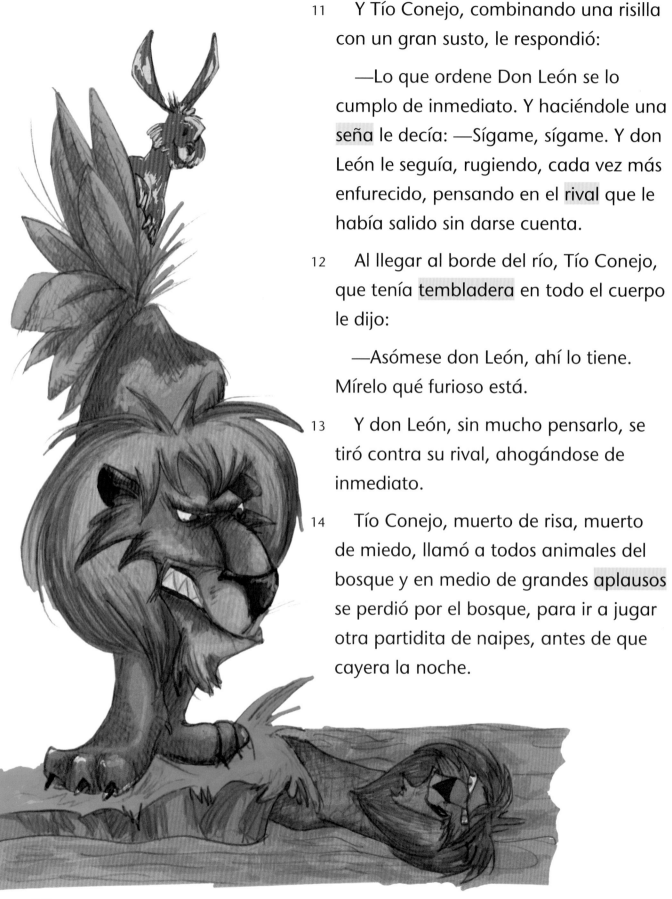

11   Y Tío Conejo, combinando una risilla con un gran susto, le respondió:

—Lo que ordene Don León se lo cumplo de inmediato. Y haciéndole una seña le decía: —Sígame, sígame. Y don León le seguía, rugiendo, cada vez más enfurecido, pensando en el rival que le había salido sin darse cuenta.

12   Al llegar al borde del río, Tío Conejo, que tenía tembladera en todo el cuerpo le dijo:

—Asómese don León, ahí lo tiene. Mírelo qué furioso está.

13   Y don León, sin mucho pensarlo, se tiró contra su rival, ahogándose de inmediato.

14   Tío Conejo, muerto de risa, muerto de miedo, llamó a todos animales del bosque y en medio de grandes aplausos se perdió por el bosque, para ir a jugar otra partidita de naipes, antes de que cayera la noche.

Comprendo lo que leí

Discuss the fable with students. Then have them complete the activities on a separate sheet of paper.

1. ¿Cómo vivían los animales del bosque?

    a. sin miedos

    b. en continuo susto

    c. buscando alimentos

2. ¿Qué trato hicieron los animales del bosque con don León?

    a. Traerle su alimento todos los días.

    b. Ir hasta la cueva de don León todos los días.

    c. Jugar naipes con don León todos los días.

3. ¿Qué le pasaba al que perdía la partida de naipes?

    a. Refunfuñaba y se hacía morisquetas.

    b. Don León se lo comía.

    c. Se dedicaba a sus actividades.

4. ¿Cómo llevaron al Tío Conejo hasta la cueva?

    a. con susto

    b. a empujones

    c. dispuesto

5. ¿Quién era el rival de don León?

    a. el Tío Conejo

    b. el escolta

    c. el otro león

6. Cuando don León se asomó al río, ¿a quién vio en realidad? Critical Thinking

    A sí mismo.

Así se dice

For both pages, discuss the concepts in the boxes and be sure students understand the examples. Then have them complete the activities on a separate sheet of paper. Assist students as necessary. For **Así se dice**, have students read aloud the sounds as they complete the activities.

Los **mandatos** se usan para indicar órdenes, en las formas **tú**, **usted** y **ustedes**.

➤ **tú**: Cállate (que te calles); Cómelo (que lo comas); Cállame (que me calles)

➤ **usted**: Cállese (que se calle); Cómalo (que lo coma); Cálleme (que me calle)

➤ **ustedes**: Cállense (que se callen); Cómanlo (que lo coman); Cállennos (que nos callen)

1. Completa con un mandato.

a. que te muevas: muévete   c. que me siga: sígame

b. que se asome: asómese   d. que lo mire: mírelo

Recuerda que los **pronombres reflexivos** se usan para indicar la persona que hace la acción. Los pronombres reflexivos son: **me** (yo), **te** (tú), **se** (él/ella, ellos/ellas, usted/ustedes), **nos** (nosotros).

2. Completa las oraciones con un pronombre reflexivo.

a. Un día los animales   se   reunieron para ver qué hacían.

b. Yo no juego. Estos juegos no   me   gustan.

c. ¡Cuidado Tío Conejo, no   te   acerques al león!

3. Busca la palabra que significa lo mismo en la lectura. El número dice en qué párrafo está la palabra.

a. sensación de miedo (1)   susto

b. acuerdo entre dos o más personas (3)   trato

c. el que se enfrenta a otro por algo que (11)   rival

4. Usa las palabras de la actividad anterior para completar las oraciones.

a. Tío Conejo se llevó un gran   susto   cuando don León saltó al río.

b. Don León pensó que el otro león era su   rival .

c. Los animales del bosque hicieron un   trato   con don León.

Así se escribe

1. Identifica la expresión idiomática con su significado correspondiente.

ni corto ni perezoso	en menos de lo que canta un gallo
muertos del susto	de buenas a primeras

a. De buenas a primeras : sin esperarlo

b. En menos de lo que canta un gallo : en poco tiempo o con mucha rapidez

c. Ni corto ni perezoso : con decisión

d. Muertos del susto : con mucho miedo

2. Identifica el tiempo de los verbos subrayados.

   a. Nosotros le <u>traeremos</u> su comida. futuro

   b. Los otros animales no <u>aceptaron</u> de buenas a primeras la nueva idea. pasado

   c. ¿Por qué te <u>demoraste</u> tanto Tío Conejo? pasado

   d. ¿Para qué <u>tenemos</u> la cabeza? presente

A escribir

Discuss with students the fable from the point of view of the lion and the agreement that he made with the animals of the forest. Have them think about other agreements the animals could have made with the lion. Then have them write a paragraph on a separate sheet of paper. Remind them to use correct punctuation.

● ¿Qué otro trato pueden hacer los animales del bosque con don León?

¿Será diferente el final de la fábula? Escribe un párrafo.

Answers will vary.

Discuss with students different sports that are popular in their community. Point out that playing sports is a good way to enjoy being with friends and family. Then ask the following questions.

Antes de leer

¿Qué deportes son populares en tu comunidad?
What sports are popular in your community?

¿Cuál es tu deporte favorito?
What's your favorite sport?

¿Por qué es importante hacer deporte?
Why is it important to do sports?

Niños practicando béisbol

Niños haciendo ejercicios

Los deportes en Cuba

Patricia Acosta

Have students read the selection. In order to help with comprehension, you may want to use reading strategies, such as echo reading, retell and summarize, and so on. Point out that the highlighted words are defined in the end glossary. Help students with unfamiliar words and structures, and guide them to decode verbs and verb tenses, as necessary.

1   Millones de niños alrededor del mundo juegan deportes para divertirse y mantenerse sanos. En Cuba, los deportes también son una de las principales formas de entrenimiento y de promover el cuidado de la salud entre los niños.

El béisbol

2   Aunque el deporte más popular en América Latina es el fútbol, el deporte más popular en Cuba es el béisbol. Al igual que a sus padres, a muchos niños cubanos les encanta jugar béisbol. Este deporte es tan popular que, si no hay un parque cerca para jugar béisbol, los niños lo juegan en cualquier otro lugar. Muchos disfrutan haciendo mini-partidos en sus escuelas o frente a sus casas. Para jugar, solo necesitan cuatro objetos para marcar las bases, una pelota y un bate o un palo para pegarle a la pelota ¡y listo! ¡Todos a divertirse!

3   Algunos de estos niños han crecido hasta convertirse en beisbolistas famosos y, hoy en día, el equipo de béisbol de Cuba es uno de los mejores del mundo.

Niño con guante de béisbol

El boxeador Félix Savón, ganador de la medalla de oro en los Goodwill Games en New York, Estados Unidos (1998).

11   Leyanet González comenzó a entrenarse como gimnasta a los seis años de edad. Ella representó a Cuba en muchísimos eventos internacionales y fue exitosa en varios tipos de gimnasia artística. Al terminar su carrera como gimnasta, Leyanet González se convirtió en entrenadora del equipo nacional cubano.

12   Félix Savón es uno de sólo tres boxeadores en el mundo entero que han ganado tres medallas de oro en boxeo olímpico. Además, Savón ha ganado seis títulos mundiales y otros premios importantes en este deporte.

13   Javier Sotomayor tiene el récord mundial de salto en alto. En este deporte, el atleta debe correr muy rápido y luego dar un salto muy alto para poder pasar por encima de una marca. Sotomayor comenzó a practicar atletismo y salto en alto desde que era niño. Cuando era adolescente, Sotomayor ganó varias medallas de oro, entre ellas, una medalla olímpica. ¡Sotomayor hizo 17 de los 24 mejores saltos de la historia!

14   Hoy en día, miles de cubanos continúan practicando esos deportes. La tradición deportista sigue viva en los barrios, pueblos y ciudades del país.

El saltador Javier Sotomayor en los Juegos Olímpicos en Sydney, Australia (2000).

Comprendo lo que leí

Discuss the selection with students. Then have them complete the activities on a separate sheet of paper.

1. ¿Qué se necesita para jugar béisbol?

   (a.) cuatro bases, una pelota y un bate
   b. cuatro bases y una pelota
   c. cuatro bases y un bate o un palo

2. ¿Cómo se llama la persona que juega béisbol?

   a. deportista
   b. voleibolista
   (c.) beisbolista

3. ¿Dónde se juega el voleibol?

   a. en las mallas
   (b.) en las canchas
   c. en las redes

4. ¿En qué deporte el atleta corre y luego da un salto?

   a. en el béisbol
   (b.) en el salto en alto
   c. en el voleibol

5. ¿Qué palabra significa lo mismo que "deportista"?

   (a.) atleta
   b. equipo
   c. entrenador

6. ¿Cuándo comienzan los deportistas a entrenarse? ¿Por qué? Critical Thinking
   Answers will vary.

> Las letras **j** y **g** tienen el mismo sonido cuando están antes de una **e** o de una **i.**
>
> ➤ a**je**drez **ji**rafa **ge**nte **Gi**braltar

1. Escoge el sonido correcto de *g* o *j.*

   a. gimnasia/jimnasia gimnasia

   b. pejarle/pegarle pegarle

   c. ganado/janado ganado

   d. gimnasta/jimnasta gimnasta

   e. lujares/lugares lugares

   f. gugador/jugador jugador

   g. gustaban/justaban gustaban

   h. mejores/megores mejores

> **Recuerda** que las **letras** en español a veces tienen sonidos parecidos.
>
> ➤ **c/s/z** = humede**c**e / arte**s**anía / cabe**z**a

2. Escoge las palabras con el sonido *s.*

   a. (principales)

   b. encanta

   c. (haciendo)

   d. (internacional)

   e. (comenzó)

   f. cubano

   g. (cerca)

   h. (organización)

3. Busca la palabra que significa lo mismo en la lectura. El número dice en qué párrafo está la palabra.

   a. objeto que se usa para pegarle a la pelota (2) bate

   b. persona que tiene éxito (4) exitoso

   c. persona que practica deportes (13) atleta

4. Usa las palabras de la actividad anterior para completar las oraciones.

   a. El _____atleta_____ ganó varias medallas de oro.

   b. Félix Savón era un boxeador ___exitoso___ .

   c. Los niños beisbolistas tenían un ___bate___ para todo el equipo.

Así se escribe

Las **conjunciones** son palabras que unen dos o más frases o palabras dentro de la oración. Algunas conjunciones son: **y**, **o**.

> ➤ Mireya era famosa por su habilidad para saltar muy alto **y** para motivar a sus compañeras de equipo.

> ➤ En el juego de voleibol se usan redes **o** mallas.

1. Completa con la conjunción *y* o con la conjunción *o*.

   a. ¿Con qué le pegan a la pelota, con un bate ^o con una base?

   b. Algunos atletas comienzan a entrenarse desde muy niños ^y otros comienzan cuando son jóvenes.

   c. La gimnasta ganó títulos nacionales ^y mundiales.

   d. ¿Qué quieres jugar, béisbol ^o voleibol?

Los **verbos regulares** son los que mantienen la misma raíz en todos los tiempos.

> ➤ ganar: **gan**o, **gan**é, **gan**arás   ➤ caminar: **camin**o, **camin**aré, **camin**arás

Los **verbos irregulares** son los que cambian su raíz.

> ➤ decir: **dig**o, **dij**e, **dir**ás   ➤ tener: **teng**o, **tuv**e, **tend**ré

2. Identifica si el verbo es regular o irregular.

   a. jugar: juegan   irregular

   b. practicar: practican   regular

   c. haber: hay   irregular

   d. seguir: sigue   irregular

A escribir

Discuss with students the different athletes in the reading. Have students identify what made those athletes special. Then have them write a paragraph on a separate sheet of paper. Remind them to use correct punctuation.

● ¿Cuáles son tus atletas favoritos? ¿Por qué son tus favoritos? ¿Qué deportes juegan? Escribe un párrafo.   Answers will vary.

Discuss with students what special thing they would like to do or have on their birthday. Ask them to think about something that can have a special meaning for them in the future. Then ask the following questions.

Antes de leer

¿Cuántas escuelas hay en tu comunidad?
How many schools are there in your community?
¿Qué tan lejos queda la escuela de tu casa?
How far away from your home is your school?
¿Por qué es importante ir a la escuela?
Why is it important to attend school?

La historia de Manú

Ana María del Río
fragmento

1   Manuela Mamani era una niñita aymara que vivía en un poblado del altiplano chileno con su papá, su mamá y doce llamas.

2   Como era pequeñita de porte, nadie le decía por su nombre porque era muy largo. Todos la llamaban simplemente, Manú. Tenía el cabello negro y brillante, muy lacio. Su piel era bronceada y los pómulos salientes. Sus ojos eran oblicuos, negros y muy brillantes. Manú era muy bonita.

3   Manú cumplía siete años ese día. Desde temprano sintió a su papá y a su mamá en puntillas por la pieza preparando el desayuno. Hacía mucho frío en las mañanas y el sol brillaba con esplendor. La mamá había puesto pieles de vicuña en las paredes para impedir la entrada del frío. Manú no dormía. Estaba nerviosa porque ese día era importante para ella. Pediría algo muy especial como regalo de cumpleaños.

4   El papá de Manú era el hombre más importante del pueblo. Era el Jefe de la Comunidad y además era doctor. Todos le traían sus hijos y sus animales cuando estaban enfermos.

5   El señor Mamani no cobraba dinero por sus servicios. Lo hacía para ayudar a la gente de su pueblo. Todos lo querían mucho. Muchas veces le pagaban con animales. Por eso tenía un rebaño de doce llamas que Manú cuidaba.

6   Cada cierto tiempo, el señor Mamani bajaba al valle e iba al Municipio a hablar con el alcalde. Conseguía muchas cosas buenas para el pueblo: dinero para hacer canales de regadío, corrales para que los animales no se murieran de frío en el invierno. Ahora último había conseguido luz eléctrica y habían instalado la primera televisión.

—Muy feliz cumpleaños, Manú —dijo la mamá.

—Muy feliz cumpleaños, Manú —dijo el papá.

—Hoy bajo a la ciudad —anunció el papá de Manú, tomando una taza de té muy negro. —¿Qué quieres de regalo de cumpleaños, Manú?

Manú los miró. Había llegado el momento de hablar.

—No me traigas nada, papá —dijo. —Quiero un regalo de cumpleaños especial.

Su papá y su mamá la miraron.

—¿Qué será lo que quieres? —preguntaron.

—Quiero que me den permiso para ir a la escuela en la ciudad —dijo Manú. —Quiero ir al colegio y aprender cosas. Aquí en Chipana no hay colegios. Yo podría vivir en Iquique con tía Eduvigis —dijo, mirando a su mamá.

—¡De ninguna manera! —dijo el papá de Manú muy enojado.

—¡Hija, cómo se te ocurre pedir ese regalo de cumpleaños! —dijo la mamá mirándola muy triste. —¿No quieres vivir con nosotros?

—¡Por supuesto que quiero vivir con ustedes, papá, mamá, los quiero mucho! —dijo Manú. —Pero es que en este pueblo no hay escuela y yo quiero aprender cómo son las cosas.

7 El papá de Manú se quedó muy silencioso. Todos los años él pedía al alcalde una escuela para el pueblo. Y, año a año, le contestaban que no había suficientes alumnos para poner una escuela. Los niños que se iban a la escuela de la ciudad, no volvían. Preferían quedarse en la ciudad con sus parientes o vecinos. El pueblo cada vez tenía menos gente.

—Si te esperas unos años, yo te traeré una escuela, Manú —dijo su papá. —Te lo prometo. Pero no puedes irte a estudiar a la ciudad. Eres muy pequeña todavía.

—No soy muy pequeña —dijo Manú mirándolos con sus ojos brillantes. —Tengo que ir a la escuela ahora. No dentro de dos años. Es importante. Quiero aprender a leer. No puedo esperar.

—¡Basta, Manú, no insistas! —dijo el papá, con voz fuerte. —¡No puedes ir! Eres muy pequeña todavía —y salió dando un portazo. Estaba enojado.

—No soy pequeña —murmuró Manú con lágrimas en los ojos.

—Después podrás ir a la escuela —dijo la mamá— o tal vez, tu papá traerá la escuela al pueblo.

8   Al final, la mamá le dijo que llevara a pastar a las doce llamas a los bofedales de más arriba, pero que las trajera temprano de vuelta.

9   Fue al establo y llamó por su nombre a las doce llamas: Warki, Pelu, Sapsa, Coxsa, Pachi, Pocha, Colla, Mani, Tinti, Sansi, Olu y Wiksa. Manú las abrazó a todas y partió con ellas y con su cayado hacia los bofedales. Se acercaba el invierno en el altiplano. Manú iba muy triste. Algo le decía que era importante, muy importante ir a la escuela de la ciudad. Llegó al bofedal y se sentó en una piedra. Se tendió al sol del mediodía y se quedó dormida. Cuando despertó, Manú ya tenía su decisión tomada. Pero para cumplirla, necesitaba de ayuda. Entonces se acordó de su gran amigo. Su amigo Kunturo.

10   Manú subió por el roquerío de la montaña. Trepó ágilmente. Trepaba como una vicuña, muy ágil, rápida y segura. Ya se le había acabado la pena. Sabía exactamente lo que tenía que hacer. Kunturo la ayudaría.

[El amigo de Manú, Kunturo, es un cóndor. Manú le pide a Kunturo que la lleve y la traiga todos los días a la escuela. Kunturo decide ayudarla y así Manú logra su regalo de cumpleaños.]

Comprendo lo que leí

Discuss the selection with students. Then have them complete the activities on a separate sheet of paper.

1. ¿Por qué llamaban "Manú" a la niña?

   a. Porque era aymara.

   b. Porque era muy bonita.

   (c.) Porque era pequeña y su nombre era muy largo.

2. Para impedir la entrada de frío, la familia usaba…

   a. las doce llamas.

   b. la luz eléctrica.

   (c.) pieles de vicuña.

3. ¿Cómo se llamaba el poblado de Manú?

   (a.) Chipana

   b. Mamani

   c. Iquique

4. ¿Por qué era especial el regalo de cumpleaños de Manú?

   a. Porque quería vivir con la tía Eduvigis.

   (b.) Porque en el poblado no había una escuela.

   c. Porque había soñado con una escuela.

5. ¿Adónde llevaba a pastar Manú a las llamas?

   (a.) a los bofedales

   b. al poblado

   c. a la escuela

6. ¿Por qué crees que no había una escuela en el poblado de Manú?
   Answers will vary.   Critical Thinking

Así se dice

For both pages, discuss the concepts in the boxes and be sure students understand the examples. Then have them complete the activities on a separate sheet of paper. Assist students as necessary. For **Así se dice,** have students read aloud the sounds as they complete the activities.

Recuerda que las **palabras agudas** son las que tienen la fuerza de la pronunciación en la última sílaba. Si terminan en **n**, **s** o **vocal**, se pone un acento.

1. Identifica las palabras agudas.

   a. vicuña   d. (ciudad)   g. (podrás)

   b. (Manú)   e. cómo   h. (final)

   c. querían   f. (decisión)   i. Chipana

El **adverbio** es una palabra que nos dice de qué modo se hace algo o cómo pasa. Algunos adverbios terminan en –**mente**.

➤ ¿Cómo salta Cali? Cali salta **rápidamente**.

2. Completa las oraciones con un adverbio.

   exactamente   simplemente   ágilmente

   a. Manú no sabía exactamente si su amigo le podía ayudar.

   b. Las llamas corrían ágilmente por el bofedal.

   c. Manú simplemente quería ir a la escuela para aprender a leer.

3. Busca la palabra que significa lo mismo en la lectura. El número dice en qué párrafo está la palabra.

   a. conjunto de casas donde viven las personas (1) poblado

   b. mamífero que vive en el altiplano (3) vicuña

   c. grupo de animales de la misma especie (5) rebaño

4. Usa las palabras de la actividad anterior para completar las oraciones.

   a. Manú llevó a pastar al rebaño a los bofedales.

   b. Todos en el poblado querían mucho al padre de Manú.

   c. La vicuña trepaba la montaña ágilmente.

Así se escribe

Las **palabras compuestas** son palabras que se unen para formar otras palabras.

➤ **quehacer**: que + hacer

➤ **rompecabezas**: rompe + cabezas

1. Forma palabras compuestas con las palabras de cada columna.

| día |
| cumple |
| saltos |
| alti |

| años |
| medio |
| plano |
| sobre |

[mediodía, cumpleaños, sobresaltos, altiplano]

Recuerda que los **verbos regulares** son los que mantienen la raíz en todos los tiempos.

➤ ganar: **gan**o, **gan**é, **gan**arás

➤ caminar: **camin**o, **camin**aré, **camin**arás

Los **verbos irregulares** son los que cambian su raíz.

➤ **dig**o, **dij**e, **di**rás

➤ **teng**o, **tuv**e, **tend**ré

2. Identifica si el verbo es regular o irregular.

a. vivir: vivía   regular

b. conseguir: conseguido   regular

c. poder: puede   irregular

d. ir: iba   irregular

e. mirar: miró   regular

f. ser: era   irregular

A escribir

Discuss with students Manú's problem (not being able to go to school) and how she enlisted the condor to help her. Ask students to imagine having a similar problem and enlisting the help of an animal. Then have them write a paragraph on a separate sheet of paper. Remind them to use correct punctuation.

● Imagina que quieres hacer algo, pero necesitas la ayuda de un animal.

¿Qué quieres hacer? ¿Qué animal te ayuda? ¿Cómo te ayuda?

Escribe un párrafo.   Answers will vary.

Discuss with students their favorite story writers. Have them talk about what they think inspires these authors. Then ask the following questions.

Antes de leer

¿Qué autores conoces?
What authors do you know?

¿Quién es tu autor favorito? ¿Por qué?
Who is your favorite author? Why?

¿Es importante el trabajo de un autor? ¿Por qué?
Is the job of an author important? Why?

Lugares en Venezuela que inspiraron algunas obras de Gallegos

Rómulo Gallegos

Rómulo Gallegos

Patricia Acosta

Have students read the selection. In order to help with comprehension, you may want to use reading strategies, such as echo reading, retell and summarize, and so on. Point out that the highlighted words are defined in the end glossary. Help students with unfamiliar words and structures, and guide them to decode verbs and verb tenses, as necessary.

1   Un autor es una persona que usa su imaginación o la realidad, para crear una "obra literaria", es decir un libro. A través de los años, América Latina ha contado con muchos autores de gran talento. Uno de los más talentosos y reconocidos es el venezolano Rómulo Gallegos.

2   Gallegos es conocido por su habilidad para la escritura y su interés en la política. Las historias y los personajes tan vívidos de sus novelas hicieron que éstas se volvieran famosas en toda América Latina. Las obras de Rómulo Gallegos también son famosas por sus descripciones de los paisajes, las costumbres y los problemas de Venezuela.

3   Aunque Gallegos es un escritor del siglo pasado, sus novelas siguen siendo importantes hoy en día.

Su biografía

4   Rómulo Gallegos Freire nació en Caracas, Venezuela, el 2 de agosto de 1884. Aunque nació en una familia humilde, Gallegos decidió estudiar una carrera. Estudió filosofía, literatura y matemáticas en la universidad. Se graduó y más tarde trabajó como profesor durante más de quince años.

Gallegos fue periodista, novelista, maestro y político

5   Mientras trabajaba como profesor, Gallegos se dedicó a escribir sobre la vida en Venezuela. También estaba interesado en la política del país. Escribió cuentos, novelas, narraciones y artículos para periódicos y revistas. Por eso fue conocido como periodista, novelista, maestro y político.

6   En 1929 Gallegos escribió *Doña Bárbara*, su novela más conocida. *Doña Bárbara* describe los bellos paisajes de Venezuela y presenta los problemas del país a través de sus personajes. En ese tiempo Gallegos no estaba contento con los gobernantes en Venezuela y, como protesta, se fue a vivir a otro país.

7   Cuando cambió el presidente de Venezuela, Gallegos regresó a su país y comenzó a trabajar con el nuevo gobierno.

8   En 1947, Rómulo Gallegos fue elegido Presidente de Venezuela. Pero a los diez meses de ganar las elecciones, tuvo que dejar el poder y salir del país. Primero fue a vivir a Cuba y después a México. Regresó a Venezuela en el año 1958 y fue declarado senador de por vida.

9   Gallegos recibió muchos premios por sus novelas y otras obras literarias. Entre ellos, recibió el "Premio Nacional de Literatura" en Venezuela y fue nombrado para el "Premio Nobel de Literatura".

10   Rómulo Gallegos murió en Venezuela el 5 de abril
de 1969. En su honor, se creó en Caracas la "Fundación
Centro de Estudios Latinonamericanos Rómulo
Gallegos".

Sus obras

11   La obra más famosa de Rómulo Gallegos sigue siendo
Doña Bárbara. Esta novela surgió cuando en
la primavera de 1927, Gallegos estaba en un
rancho cerca de San Fernando de Apure, en
el centro de los llanos venezolanos. El rancho
quedaba en un lugar húmedo y plano. Allí
Gallegos se inspiró para reunir detalles que
le servirían al escribir *Doña Bárbara*. Esta
novela fue publicada por primera vez con el
nombre de *La Coronela*.

12   *Doña Bárbara* tiene dos personajes
principales: Santos Luzardo y doña
Bárbara. Santos Luzardo es un joven
abogado que regresa a los llanos de
Apure para vender las tierras que
heredó. Doña Bárbara es una mujer
avara y ambiciosa, que con el látigo en
mano quiere controlar a las personas
y las tierras del llano. La novela trata acerca de
la lucha entre estos dos personajes. Finalmente doña
Bárbara se da cuenta de su crueldad y se marcha lejos
y así la historia tiene un final feliz. A lo largo de la
novela, Gallegos describe la vida cotidiana en los llanos
venezolanos y la belleza de su tierra.

13   Rómulo Gallegos no estaba feliz con la versión
      original de *Doña Bárbara* y en 1930 decidió cambiarla.
      Le añadió cinco capítulos y cambió el orden de los
      sucesos. Más tarde hizo otros cambios hasta que por fin
      se sintió satisfecho con los resultados en el año 1954.

14   Rómulo Gallegos publicó muchas obras exitosas
      como *Cantaclaro*, *Canaima* y *Sobre la misma tierra*.
      Cantaclaro es una obra de acción y aventuras que se
      desarrolla en las llanuras venezolanas, y trata sobre un
      cantor ambulante. *Canaima*, es una obra de aventura
      y drama, que se desarrolla en el Caribe y en la zona
      del Amazonas venezolano. La obra trata acerca de la
      lucha contra la naturaleza y el deseo por el poder. *Sobre
      la misma tierra* trata acerca de la historia y la vida en
      Venezuela.

Comprendo lo que leí

Discuss the selection with students. Then have them complete the activities on a separate sheet of paper.

1. ¿Cómo eran los personajes y las historias de Rómulo Gallegos?

   a. Eran famosos.

   (b.) Eran vívidos.

   c. Eran importantes.

2. ¿Qué usa un autor para crear sus obras?

   a. Usa los paisajes.

   b. Usa las costumbres.

   (c.) Usa la imaginación o la realidad.

3. Rómulo Gallegos escribía sobre…

   (a.) la vida y los problemas de Venezuela.

   b. las costumbres de Venezuela.

   c. su vida en Venezuela.

4. ¿Cómo presenta el autor los problemas de su país?

   a. a través de la protesta

   b. a través de los paisajes

   (c.) a través de sus personajes

5. ¿Qué se creó en honor a Rómulo Gallegos?

   a. el Premio Nobel de Literatura

   (b.) la Fundación Centro de Estudios Latinoamericanos Rómulo Gallegos

   c. el Premio Nacional de Literatura

6. ¿Por qué es Rómulo Gallegos un autor importante? Critical Thinking

   Answers will vary.

Así se dice

For both pages, discuss the concepts in the boxes and be sure students understand the examples. Then have them complete the activities on a separate sheet of paper. Assist students as necessary. For **Así se dice**, have students read aloud the sounds as they complete the activities.

Las **palabras llanas** son las que tienen la fuerza de la pronunciación en la penúltima sílaba. Si terminan en **n**, **s** o **vocal**, no se pone un acento.

➤ sin acento: o-**ri**-gen   **dra**-ma   no-**ve**-las

➤ con acento: **lá**-piz   **ví**-a   **dón**-de

1. Separa en sílabas las palabras. Identifica las palabras llanas.

   a. (árbol) ár-bol   d. (día) dí-a   g. (obras) o-bras

   b. (talento) ta-len-to   e. (historia) his-to-ria   h. (llanos) lla-nos

   c. autor au-tor   f. surgió sur-gió   i. (éstas) és-tas

Recuerda que las **palabras esdrújulas** son las que tienen la fuerza de la pronunciación en la antepenúltima sílaba. Todas las palabras esdrújulas llevan un acento gráfico, o tilde.

➤ **ár**-bo-les   **úl**-ti-mo   **pá**-ja-ro

2. Separa en sílabas las palabras. Identifica las palabras esdrújulas.

   a. (política) po-lí-ti-ca   d. (América) A-mé-ri-ca   g. (capítulo) ca-pí-tu-lo

   b. país pa-ís   e. surgió sur-gió   h. además a-de-más

   c. (vívidos) ví-vi-dos   f. (húmedo) hú-me-do   i. (Bárbara) Bár-ba-ra

3. Identifica la palabra que significa lo mismo en la lectura. El número dice en qué párrafo está la palabra.

   a. persona que se dedica a la política (5)   político

   b. personas en una obra literaria (6)   personajes

   c. terrenos sin diferencia de altura ni desigualdades (11)   llanos

4. Usa las palabras de la actividad anterior para completar las oraciones.

   a. Muchas de las obras de Rómulo Gallegos se desarrollan en los   llanos .

   b. Uno de los   personajes   de *Doña Bárbara* era una mujer avara.

   c. Rómulo Gallegos no fue solamente escritor, también fue   político .

Así se escribe

1. Cambia las oraciones del presente al pasado.

   a. Rómulo Gallegos nace en Venezuela.   Rómulo Gallegos nació en Venezuela.

   b. Gallegos se inspira en los llanos venezolanos.
      Gallegos se inspiró en los llanos venezolanos.

   c. El autor publica muchas obras en Venezuela y en otros países.
      El autor publicó muchas obras en Venezuela y en otros países.

2. Identifica los adjetivos en estas oraciones.

   a. Uno de los escritores más talentosos y reconocidos es Rómulo Gallegos.

   b. Las obras de Rómulo Gallegos son famosas por sus descripciones.

   c. *Doña Bárbara* describe los bellos paisajes de Venezuela.

3. Completa las oraciones con un adverbio de tiempo.

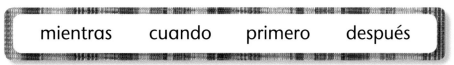

mientras   cuando   primero   después

   a. El autor primero imagina su novela y después la escribe.

   b. Cuando Rómulo Gallegos regresó a Venezuela, fue elegido presidente.

   c. Mientras enseñaba en la universidad, también escribía sus obras literarias.

A escribir

Discuss with students the characteristics that made Rómulo Gallegos an exceptional writer. Talk about how authors sometimes combine imagination and reality in their literature. Then have them write a paragraph on a separate sheet of paper. Remind them to use correct punctuation.

● Imagina que eres un autor y escribes una novela. ¿De qué trata tu novela?

¿Quiénes son tus personajes? ¿Dónde se desarrolla? Escribe un párrafo.
Answers will vary.

Discuss with students traditional dances. Point out that each dance has its own steps, music, and wardrobe. Then ask the following questions.

Antes de leer

¿Qué bailes tradicionales conoces?
What traditional dances are you familiar with?
¿Qué ropa usan los bailarines?
What clothes do the dancers wear?
¿Cuál es tu baile favorito? ¿Cómo se baila?
What is your favorite dance? How is it danced?

Niñas bailando flamenco, una danza tradicional española

El flamenco

Patricia Acosta

Have students read the selection. In order to help with comprehension, you may want to use reading strategies, such as echo reading, retell and summarize, and so on. Point out that the highlighted words are defined in the end glossary. Help students with unfamiliar words and structures, and guide them to decode verbs and verb tenses, as necessary.

1   Todos los años, cientos de niñas y niños alrededor del mundo se divierten aprendiendo el baile flamenco.

2   El flamenco es una danza tradicional española. Se originó en el sur de España, en la zona de Andalucía. Poco a poco se convirtió en un arte muy especial.

3   Hace más de cien años los cantantes de flamenco, llamados "cantaores", empezaron a conocerse por toda la región. Luego, escritores de otros países escribieron sobre esta danza y así llegó a conocerse en todo el mundo.

4   En aquel tiempo, el flamenco se bailaba y se cantaba en los patios de las vecindades y en otros lugares de la comunidad en Andalucía.

5   Pasaron los años y el flamenco empezó a formar parte de espectáculos que se ofrecían en cafés y restaurantes.

Espectáculo de flamenco en un tablao

6   Con el tiempo, el flamenco se ha convertido en un "arte escénico". Esto quiere decir que las personas necesitan estudiar y practicar para poder cantar, bailar o tocar flamenco (en este sentido, es similar al ballet). Por eso, este baile es muy popular en los teatros, pero no es común ver a las personas bailando flamenco en sus celebraciones personales.

7   Hoy en día, en España hay unos lugares llamados "tablaos" donde se puede apreciar el arte flamenco.

8   El flamenco tiene tres partes importantes: el cante, el baile y el toque.

El cante

9   El "cante" es la forma en que se canta flamenco y el "cantaor" o "cantaora" es el nombre que se da al cantante de flamenco.

10   El cante flamenco es muy apasionado. Para quien lo escucha por primera vez, el cante flamenco suena como un llanto o un lamento.

11   Las letras de las canciones y la forma de cantar flamenco son también muy apasionados. A veces, el flamenco es muy triste y otras veces muy alegre. Por eso las personas sienten diferentes emociones cuando escuchan esta música. Algunos dicen que la mejor forma de apreciar el flamenco es escuchándolo, no sólo con los oídos, sino con el corazón y con el alma.

Un cantaor

Castañuelas

El baile

12   El baile flamenco está representado generalmente por mujeres, que llevan vestidos y adornos muy bonitos. Estas "bailaoras" llevan trajes típicos con volantes y faldas largas. La falda es parte del baile. Las bailaoras mueven la falda, que es grande y tiene cola, al ritmo de la música. Llevan también zapatos especiales con los que crean música.

13   Al bailar, ellas mueven sus brazos lentamente a la vez que con sus manos hacen movimientos circulares. Estos movimientos ayudan a darle un aire de emoción a la danza flamenca.

Una bailaora

14   El baile puede tener una sóla bailaora, un sólo bailaor, o varios bailaores. Cuando hay un sólo bailaor o bailaora, la persona puede representar el sentimiento de la canción de diferentes maneras. Cuando son varios bailaores generalmente bailan siguiendo los mismos movimientos.

15   A veces las bailaoras aplauden o hacen sonidos con sus manos. Esto da ritmo a la canción y ayuda a marcar los pasos del baile. Otras veces las bailaoras tienen "castañuelas" en sus manos. Las castañuelas son instrumentos musicales hechos de madera.

El toque

16 El "toque" es el arte de tocar la guitarra al estilo flamenco. El "tocaor" es el músico que acompaña al cantaor y al bailaor con la guitarra. Esta guitarra es más liviana y más estrecha que la guitarra clásica.

17 Los guitarristas o "tocaores" tocan las cuerdas de la guitarra de una forma especial, usando todos los dedos, incluyendo el pulgar. Los dedos se mueven rápidamente entre cuerda y cuerda, haciéndolas sonar individualmente. Los tocaores también hacen "rasgueos", que es la acción de hacer sonar todas las cuerdas a la vez con los dedos juntos.

Zapatos de bailaora

18 Para muchos españoles, el flamenco es una parte importante de su vida.

19 En 2010, la UNESCO (una institución internacional importante) escogió al flamenco como patrimonio cultural del mundo. Esto quiere decir que el flamenco seguirá siendo parte de la cultura de cientos de niñas y niños en España y en el resto del mundo.

Tocaor acompañando a cantaores

Comprendo lo que leí

Discuss the selection with students. Then have them complete the activities on a separate sheet of paper.

1. ¿Por qué es el flamenco un arte escénico?

    a. Porque es patrimonio cultural del mundo.

    b. Porque hay que estudiarlo y practicarlo.

    c. Porque se baila en todo el mundo.

2. Al principio, el flamenco se bailaba en…

    a. las vecindades.

    b. los teatros.

    c. los café y restaurantes.

3. ¿Qué nombre se da al cantante de flamenco?

    a. cante

    b. canto

    c. cantaor

4. ¿Qué es el "rasgueo"?

    a. una forma de tocar la guitarra

    b. una forma de mover el pulgar

    c. una forma de hacer sonidos con las manos

5. ¿Por qué las bailaoras mueven sus brazos y manos?

    a. Para llevar el ritmo.

    b. Para darle emoción a la danza.

    c. Para hacer los mismos movimientos.

6. ¿Qué te gustaría ser: bailaor, cantaor, o tocaor?
   ¿Por qué? Critical Thinking
   Answers will vary.

For both pages, discuss the concepts in the boxes and be sure students understand the examples.
Then have them complete the activities on a separate sheet of paper. Assist students as necessary.
For **Así se dice**, have students read aloud the sounds as they complete the activities.

Así se dice

> **Recuerda** que las letras **j** y **g** tienen el mismo sonido cuando están delante de una **e** o de una **i**.
>
> ➤ a**j**edrez **ji**rafa **ge**nte **Gi**braltar

1. Identifica las palabras con el sonido *j*.

   a. (originó)

   b. lugares

   c. (región)

   d. largas

   e. (generalmente)

   f. (escogió)

2. Identifica las palabras con el sonido *g*.

   a. (embargo)   d. (pulgar)

   b. (algunos)   e. escoge

   c. gitano   f. (luego)

3. Busca la palabra que significa lo mismo en la lectura. El número
   dice en qué párrafo está la palabra.

   a. sonido triste de pena o dolor (10)   lamento

   b. que pesa poco (16)   liviana

   c. dedo más gordo y corto de la mano (17)   pulgar

4. Usa las palabras de la actividad anterior para completar las oraciones.

   a. El cante a veces es muy alegre, y otras veces es como un   lamento .

   b. El tocaor se lastimó el   pulgar   tocando la guitarra.

   c. La guitarra clásica no es tan   liviana   como la guitarra flamenca.

Así se escribe

1. Escribe el acento sobre la letra correspondiente.

   a. escenico   escénico

   b. haciendolas   haciéndolas

   c. escuchandolo   escuchándolo

   d. musico   músico

   e. espectaculos   espectáculos

   f. tipico   típico

2. Completa las oraciones con la conjunción *y* o con la conjunción *o*.

   a. El tocaor toca la guitarra   y   el cantaor canta.

   b. En la danza flamenca puede bailar una persona   o   más de una persona.

   c. Para llevar el ritmo, aplauden   o   hacen sonidos con las manos.

   d. El flamenco es parte de la cultura de España   y   del resto del mundo.

   e. Las bailaoras llevan trajes típicos   y   zapatos especiales.

A escribir   Discuss with students the main characteristics of flamenco. Have them think about how they dance to their favorite music. Then have them write a paragraph on a separate sheet of paper. Remind them to use correct punctuation.

● ¿En qué se parece tu baile favorito al flamenco? ¿En qué se diferencia? Escribe un párrafo.   Answers will vary.

Discuss with students that an adventure is an unusual or exciting experience or activity. Have them talk about the things they would like to do if they were going on an adventure vacation with family and friends. Then ask the following questions.

Antes de leer

¿Te gustan las vacaciones de aventura? ¿Por qué?
Do you like adventure vacations? Why?

¿Qué vacaciones de aventura te gustaría tener?
What adventure vacation would you like to take?

¿Qué actividades de aventura te gustaría hacer?
What adventure activities would you like to do?

Vista del Lago de Nicaragua, también llamado Lago Cocibolca

Laguna de Charco Verde, en la Isla de Ometepe

¡De viaje en Nicaragua!

Patricia Acosta

Have students read the selection. In order to help with comprehension, you may want to use reading strategies, such as echo reading, retell and summarize, and so on. Point out that the highlighted words are defined in the end glossary. Help students with unfamiliar words and structures, and guide them to decode verbs and verb tenses, as necessary.

1   Si te gustan las aventuras, Nicaragua es un país ideal para ir de paseo con tus familiares y amigos. Puedes dar caminatas en los volcanes, visitar centros de turismo ecológico y ver tesoros arqueológicos. También puedes practicar *surf* en el Pacífico, bucear con tubo (snorkeling) en el Caribe y navegar en *kayak* por un río.

Isla de Ometepe

2   Una actividad magnífica para disfrutar con tus amigos es la caminata a los volcanes en la Isla de Omepete. Esta isla está en el Lago de Nicaragua y tiene dos volcanes: el volcán Maderas y el volcán Concepción.

3   Concepción es el más famoso de los dos volcanes. Es un volcán activo. Su última erupción fue en 1957. Tiene forma de cono perfecto y casi siempre está rodeado de nubes blancas. Durante la caminata también puedes ver muchas plantas y animales. Además, la vista desde el volcán es espectacular.

Una caminata por la Isla de Ometepe

Charco Verde

4   Si te gusta mucho la naturaleza, debes visitar Charco Verde. Es una reserva natural que está cerca del volcán Concepción en la Isla de Ometepe. La reserva tiene una laguna y una gran variedad de plantas y animales.

5   La laguna de Charco Verde está rodeada de manglares y enormes árboles frutales. Muchas familias se divierten paseando en *kayak* por la laguna o nadando. Algunas prefieren descansar bajo el sol, en las tranquilas playas que dan al Lago de Nicaragua. Otras prefieren hacer un recorrido a caballo o a pie por el bosque que rodea las playas.

6   En el bosque de Charco Verde puedes ver tres familias de monos congos. ¡Cada familia puede tener hasta 70 monos! En este bosque también puedes ver otros tipos de animales como aves, insectos y reptiles como la boa.

Volcán Concepción en la Isla de Ometepe

La "ruta del café"

7   En la zona norte-central de Nicaragua está el Departamento de Matagalpa. En esta zona puedes divertirte mucho al recorrer la "ruta del café" con tus familiares y amigos. Las actividades ecológicas incluyen caminar por fincas de café, montar bicicleta de montaña, pasear a caballo por el bosque y ver paisajes increíbles.

Tesoros arqueológicos

8   Si eres muy curioso, te van a encantar los tesoros arquelógicos de Nicaragua. Vas a aprender sobre civilizaciones antiguas que vivieron en estas tierras hace más de 2,000 años (¡mucho antes de que Cristóbal Colón llegara a América!).

9   Entre los tesoros arqueológicos de Nicaragua están las huellas de Acahualinca y las estatuas de Zapatera.

10   Las "huellas de Acahualinca" son pisadas antiguas que dejaron personas hace más de 2,000 años junto al Lago de Managua. Estas huellas pertenecieron a un grupo de alrededor de 10 personas (hombres, mujeres y niños), que probablemente estaban camino al lago para recoger comida y agua. Una capa de lodo y ceniza protegió estas huellas y, hoy en día, las puedes ver en un museo en la ciudad de Managua.

Estatuas precolombinas de la Isla Zapatera, en el Centro Cultural Antiguo Convento San Francisco, Granada, Nicaragua

11   Otro tesoro arqueológico son las "estatuas de Zapatera". En el archipiélago de Zapatera han encontrado estatuas antiguas y otros objetos de hace miles de años. Las estatuas de Zapatera son muy interesantes. Están hechas de piedras negras muy grandes y combinan figuras humanas con animales. Algunos expertos dicen que estas estatuas representan dioses o líderes antiguos, como caciques, guerreros y sacerdotes.

Deportes acuáticos

Islas del Maíz, en el Mar Caribe, Nicaragua

12   Nicaragua está entre el Mar Caribe y el Océano Pacífico, por lo que tiene varias playas que son excelentes para el surf. Además, allí puedes ver las tortugas marinas, los delfines y las ballenas que a veces visitan las playas.

13   Para los que prefieren el buceo con tubo (snorkeling), las Islas del Maíz son un paraíso. Conocidas como "Corn Islands", están rodeadas de hermosos arrecifes de coral que puedes observar desde la superficie del mar. Entre los corales puedes ver peces tropicales de diferentes tamaños, mantarrayas y ¡hasta tiburones!

14   Otra actividad favorita de los turistas aventureros es pasear en *kayak* por el Río San Juan. Este río es uno de los más bonitos de Nicaragua. Está rodeado de reservas naturales y tiene animales como tortugas de río, aves y cocodrilos. Cerca del río también hay ciudades y pueblos, por lo que puedes usar tu *kayak* como un medio de transporte para ir a estos lugares.

15   Sin duda, Nicaragua es un lugar maravilloso para disfrutar unas vacaciones de aventura junto a tus familiares y amigos.

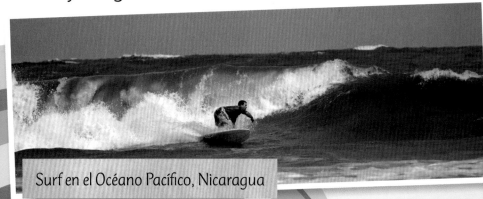

Surf en el Océano Pacífico, Nicaragua

Comprendo lo que leí

Discuss the selection with students. Then have them complete the activities on a separate sheet of paper.

1. ¿Cuál de éstas es una actividad ecológica?

   a. Visitar un museo.

   b. Recorrer la "ruta del café".

   c. Ver las estatuas de Zapatera.

2. Charco Verde es…

   a. un lago.

   b. una playa.

   c. una reserva natural.

3. ¿Qué puedes hacer en Charco Verde?

   a. admirar tesoros arqueológicos

   b. admirar la naturaleza

   c. caminar por fincas de café

4. ¿Cuál es un tesoro arqueológico de Nicaragua?

   a. las huellas de Acahualinca

   b. el volcán Concepción

   c. los arrecifes de coral

5. ¿Entre qué cuerpos de agua está Nicaragua?

   a. el Mar Caribe y el Lago de Nicaragua

   b. el Mar Caribe y el Río San Juan

   c. el Mar Caribe y el Océano Pacífico

6. ¿Por qué es Charco Verde una reserva natural? Critical Thinking

   Answers will vary.

Discuss with students the physical condition of their neighborbood (roads, streets, new, old, orderly, and so on). Ask them what they like the most about their neighborhood. Then ask the following questions.

Antes de leer

¿Qué haces para cuidar tu barrio?
How do you take care of your neighborhood?

¿De qué manera puede mejorar tu barrio?
How can your neighborhood be improved?

¿Qué actividades hay en tu barrio?
What are some of the activities in your neighborhood?

Atyrá, un ejemplo de ciudad

Lourdes M. Cobiella
adaptación

Have students read the selection. In order to help with comprehension, you may want to use reading strategies, such as echo reading, retell and summarize, and so on. Point out that the highlighted words are defined in the end glossary. Help students with unfamiliar words and structures, and guide them to decode verbs and verb tenses, as necessary.

1   Hace algún tiempo, fuimos mis padres y yo de paseo a Atyrá, una pequeña ciudad ubicada sobre la Cordillera de Altos, en el departamento de Cordillera. La ciudad está dividida en área urbana y área rural. Ni bien entramos por el desvío de Kurusu Peregrino, me encantó el largo camino bordeado de plantas y árboles.

—¡Qué lugar tan maravilloso! —dije.

—Y eso que aún no llegamos. Atyrá es la ciudad más limpia del país —dijo mamá.

—También es una de las ciudades más antiguas de Paraguay —afirmó papá. —Fue fundada por un señor llamado Domingo Martínez de Irala, hace más de cuatrocientos sesenta años.

2   Cuando llegamos, observamos una ciudad diferente. Vimos antiguos edificios, casonas coloniales, tupidas arboledas y plantas con flores. Sus calles y veredas estaban limpias. Todo estaba reluciente. Aquí y allá había gente barriendo, cuidando las plantas.

—"Ya entiendo porqué Atyrá es la ciudad más limpia del país. Toda la ciudad es un jardín". —pensé.

3   Fuimos a la plaza a visitar la feria de artesanía. Allí me compraron unas bonitas zapatillas de cuero.

4   Al lado de la iglesia hay un reloj de sol que me encantó. Me acerqué y me maravilló ver cómo el reloj indicaba la hora con su sombra.

—¡Quiero uno en casa! —dije en broma—. Y que solo marque la hora para ir a jugar.

—Y para hacer la tarea, Joaquín —dijo papá rascándome la cabeza.

—Claro, para hacer la tarea… —contesté sonriendo y mirando al suelo.

5   El tiempo pasó volando, pero nos alcanzó justo para visitar un museo. Después, retomamos el camino a Asunción, la capital de Paraguay, donde vivo con mi familia. Antes de llegar a casa, se me ocurrió una idea.

—¡Hagamos que nuestro barrio se parezca a Atyrá! —exclamé.

—Buena idea, Joaquín. Hablaremos con los vecinos —respondieron papá y mamá.

6   Tan pronto llegamos a casa, papá y mamá comenzaron los preparativos para la reunión con los vecinos de nuestro barrio.

—Yo tomé muchas fotos de Atyrá. Las voy a montar en un cartel para que todos puedan admirarlas —dije entusiasmado.

—¡Muy buen idea, Joaquín! —dijo papá.

—Creo que podemos dividir el trabajo en grupos: uno para plantar árboles y flores, otro para barrer todas las veredas y calles y finalmente otro grupo que organice una pequeña feria de artesanías —añadió mamá. ¡Nadie como ella para organizar el trabajo!

—¡Sí, en nuestro barrio hay varios artesanos que pueden exhibir sus artesanías! Las ferias atraen gente de otros lugares. Así, los vecinos de otros barrios podrán ver lo que nuestro barrio está haciendo y tratarán de imitarnos —dijo papá.

7   Mamá y yo preparamos unas hojas informando a los vecinos sobre la reunión. La reunión sería en la plaza del barrio. Caminamos por las diferentes calles, pegando nuestras hojas. También repartimos hojas para los clientes de la farmacia, la bodega, la panadería y otros lugares del barrio. Todos los vecinos se mostraban muy entusiasmados con la idea y prometieron asistir a la reunión.

8   Ese fin de semana, se llevó a cabo la reunión. Éramos tantos que no cabíamos en la plaza.

9   Al comenzar la reunión, papá pidió la atención de todos los vecinos.

—Quiero agradecerles a todos su presencia. Hace unos días mi familia y yo visitamos Atyrá y nos quedamos impresionados con la limpieza y el orden de esa ciudad. Vimos edificios y casas adornadas con árboles y plantas con flores. Sus calles y veredas estaban limpias. Se veía a la gente barriendo y cuidando las plantas.

Así se dice

For both pages, discuss the concepts in the boxes and be sure students understand the examples. Then have them complete the activities on a separate sheet of paper. Assist students as necessary. For **Así se dice**, have students read aloud the sounds as they complete the activities.

> Las **letras** en español a veces tienen sonidos parecidos.
>
> ➤ **c** / **s** / **z** = **c**erdo / **s**andalia / **z**apato

1. Identifica las palabras con el sonido *s*.

   (reluciente)   ubicada   (ciudad)   (hace)

   cuero   (acerca)   (organice)   coloniales

> El **artículo indefinido** (**un**, **una**, **unos**, **unas**) se usa para hablar de algo que no es específico.
> El **artículo definido** (**el**, **la**, **los**, **las**) se usa para hablar de algo específico.
>
> ➤ **indefinido**: Conozco a **una** maestra.
>
> ➤ **definido**: Conozco a **la** maestra de español.

2. Completa con un artículo definido o indefinido.

   a. Mi barrio es ____el____ más limpio de la ciudad.

   b. Joaquín vive en ____un____ barrio de Asunción.

   c. En ____una____ de las fotos se ve el reloj de sol.

   d. Todos ____los____ vecinos se organizaron en diferentes grupos.

3. Busca la palabra que significa lo mismo en la lectura. El número dice en qué párrafo está la palabra.

   a. del campo (1)   rural

   b. casas grandes y bonitas (2)   casonas

   c. un buen resultado (12)   éxito

4. Usa las palabras de la actividad anterior para completar las oraciones.

   a. Las ____casonas____ tenían muchas habitaciones y baños.

   b. La reunión con los vecinos fue un ____éxito____ .

   c. Para llegar a la ciudad, viajamos primero por un camino ____rural____ .

Así se escribe

Voy a + un verbo en infinitivo indica el tiempo futuro.

➤ Yo comeré un tamal = Yo **voy a comer** un tamal.

➤ Yo iré a casa. = Yo **voy a ir** a casa.

1. Cambia los verbos a la forma *voy a*.

   a. hablaré = voy a hablar

   b. comenzaré = voy a comenzar

   c. dividiré = voy a dividir

   d. explicaré = voy a explicar

2. Cambia los verbos al tiempo futuro.

   a. voy a visitar = visitaré

   b. voy a organizar = organizaré

   c. voy a hacer = haré

   d. voy a ir = iré

Recuerda que los **cognados** son palabras que son similares en inglés y en español, tanto en la manera como se escriben como en su significado.

3. Identifica los cognados

   a. asistir

   b. área

   c. urbana

   d. tiempo

   e. reunión

   f. exhibir

   g. farmacia

   h. cartel

   i. orden

   j. artesanía

   k. rural

   l. éxito

   m. coloniales

   n. jardín

   o. museo

A escribir Discuss with students how the characters in the story organized their neighbors to improve the neighborhood. Point out the planning involved. Then have them write a paragraph on a separate sheet of paper. Remind them to use correct punctuation.

● ¿Qué te gustaría hacer o cambiar en tu barrio? ¿Cómo organizarías a tus vecinos? Escribe un párrafo. Answers will vary.

Discuss with students what they know about dogs, cats, and mice. Have them share the characteristics of those animals, their habitat, food preferences, and adversaries. Then ask the following questions.

Antes de leer

¿Cuál es tu animal preferido?
What is your favorite animal?
¿Cuántas mascotas tienes en tu casa?
How many pets do you have at home?
¿De qué forma especial tratas a tu mascota o mascotas?
In what special way do you treat your pet(s)?

Lío de perros, gatos y ratones

Mireya Cueto
adaptación

Personajes: El Rey, Perro Nerón, Perro Napoleón, Asamblea de Perros; Gato Ladrón, Gato Garabato, Asamblea de Gatos; Ratón Ladrón, Asamblea de Ratones

Escenografía: Un corral.

Have students read the selection. In order to help with comprehension, you may want to use reading strategies, such as echo reading, retell and summarize, and so on. Point out that the highlighted words are defined in the end glossary. Help students with unfamiliar words and structures, and guide them to decode verbs and verb tenses, as necessary.

1 (*Aparece en la escena el REY con un papel desenrollado y hace como que lee. Entran el PERRO NERÓN y el PERRO NAPOLEÓN.*)

REY. (*Pomposo*) —Yo, el rey, ordeno que todos los perros del mundo tengan derecho a: ir de viaje con sus amos, a dormir en cojines, a comer en plato, a jugar con pelotas, a que los bañen, los cepillen y los traten con cariño. (*Deja de leer y entrega el papel al PERRO NERÓN.*) Hago entrega de este importante documento a los perros para que sus derechos sean respetados. (*Sale solemnemente de escena.*)

NERÓN. —Vayamos a la asamblea de los perros para dar la noticia.

2 (*Salen de escena. Aparece asamblea de perros. Entran NERÓN y NAPOLEÓN*)

NERÓN. (*Firme y feliz.*) —Compañeros perros: Es un honor informarles que en este papel están escritos nuestros privilegios. Napoleón, te nombro guardián de este documento (*entrega el rollo*).

NAPOLEÓN. (*Firme.*) —Es un gran honor.

NERÓN. —Se levanta la sesión. (*Todos salen de escena entre alegres ladridos. Se queda Napoleón.*)

NAPOLEÓN. (*Tranquilo.*) —Tendré que estar con los ojos muy abiertos... aunque (*Bosteza*)... tengo muchísimo sueño... (*Bosteza*). Pondré el papel debajo de mi brazo, aquí, bien escondido y me echaré un ratito.

3 (*Se echa y ronca a más y mejor. Entra el gato ladrón.*)

GATO LADRÓN. (*Ve al perro.*) ¿Y este perro? ¿Qué hace por aquí? Menos mal que está roncando. Tiene un papel enrollado debajo del brazo... voy a tratar de sacárselo con mucho cuidadito...
(*Se lo quita, lo desenrolla y lee.*) "Yo, el rey" (*Sigue leyendo, está enojado.*) ¡Con que ésas tenemos! ¡Todos los derechos para los perros! ¿Y a nosotros, qué? Voy a llevar este importante papel a la asamblea de los gatos. (*Sale*)

4 (*El perro despierta y sale corriendo. Entra asamblea de los gatos. Muchos maullidos. Aparece el* GATO LADRÓN *con el papel enrollado.*)

GATO LADRÓN. (*Sofocado.*) —¡Compañeros gatos! En este documento el rey concede todos los derechos a los perros... y a nosotros... ¡nada!

GATO GARABATO. —¡No puede ser! Nosotros... que somos tan guapos, tan distinguidos y elegantes... que somos tan limpios..., nos dejan sin derechos. (*Maullidos furiosos de toda la asamblea.*)

GATO LADRÓN. —La solución es esconder este papel para que los perros no puedan probar sus derechos.

ASAMBLEA DE GATOS. —¡Sí... sí!... ¡aprobado!

GATO LADRÓN. —Lo esconderemos debajo de ese montón de basura. (*Esconde el papel.*)

5 (*La asamblea de gatos sale de escena. Entra un ratón volteando de un lado a otro.*)

RATÓN LADRÓN. —Iiiii... Iiiii... Los gatos creyeron que nadie los veía. ¡Qué tontos! Y yo, bien escondidito en mi agujerito... (*Se acerca al montón de basura.*) Voy a ver qué escondieron ahí... Ji, ji, ji, ji... Es un rollo de papel. Lo llevaré a la asamblea de ratones.

6 (*Entra la asamblea de los ratones y luego entra corriendo el ratón con el rollo de papel.*)

RATÓN LADRÓN. (*Firme.*) —¡Honorabilísima asamblea de honorables ratones! Acabo de encontrarme este importantísimo papel donde se les dan "todos los derechos" a los perros. Creo que nosotros debemos guardarlo. Así nos respetarán tanto los perros como los gatos.

ASAMBLEA DE RATONES. —¡Claro! ¡Claro! ¡Claro!

RATÓN LADRÓN. —Pensándolo bien, ¿qué tal si nos comemos el papel? Así nadie nos lo robará.

7 (*Los ratones roen el papel hasta que desaparece, y salen de la escena. Entran Nerón y Napoleón.*)

NERÓN. —Napoleón, vengo por el documento.

NAPOLEÓN. (*Abochornado*.) —Te confieso, Nerón, que me dormí y me lo robó un gato.

NERÓN. — Vamos a la asamblea de los gatos.

8 (*Entra la asamblea de los gatos, y luego Nerón y Napoleón.*)

NAPOLEÓN. (*Furioso*.) —¡Gatos ladrones! ¡Devuelvan el documento que me robaron!

GATO LADRÓN. —La triste verdad es que lo escondimos y ha desaparecido. Seguramente fueron los ratones. Vamos a la asamblea de los ratones.

9 (*Salen de escena. Aparece asamblea de los ratones y entran corriendo Napoleón y el Gato Ladrón.*)

GATO LADRÓN. —¡Ratones ladrones! ¿Dónde está el documento que se robaron?

RATÓN LADRÓN. —Para que lo sepan: nos lo comimos. Así nos respetarán tanto los perros como los gatos.

GATO LADRÓN. —¡Qué respeto ni que nada! De hoy en adelante, ¡cuídense!, porque de ustedes no dejaremos ni la cola.

NAPOLEÓN. (*Furioso*) — Y ustedes, gatos, vayan con cuidado, porque siempre les correremos detrás y no los dejaremos en paz por ladrones y entrometidos.

PERRO, GATO, RATÓN. —¡Guau.., guau...! ¡Miau... miau...! ¡Iiiiii... iii!

10 VOZ DE ADENTRO —Este cuento ya se volvió un lío. Ahora sabemos por qué los perros corretean a los gatos y los gatos se comen a los ratones.

Telón

Comprendo lo que leí

Discuss the selection with students. Then have them complete the activities on a separate sheet of paper.

1. ¿Quién ordena que los perros tengan derechos?

   a. el Perro Nerón

   b. el Perro Napoleón

   c. el rey

2. ¿A quién nombran para cuidar el documento de los privilegios?

   a. al Perro Nerón

   b. al Perro Napoleón

   c. a la asamblea

3. ¿Qué hace el Gato Ladrón cuando ve al perro Napoleón?

   a. Se roba el documento.

   b. Se come el documento.

   c. Se queda dormido.

4. ¿Por qué se comen los ratones el documento?

   a. Para que los gatos no se coman el documento.

   b. Para que nadie lo robe.

   c. Para que no esté con un montón de basura.

5. ¿Cómo termina el cuento?

   a. Los perros corretean a los gatos y a los ratones.

   b. Los gatos corretean a los perros y se comen los ratones.

   c. Los perros corretean a los gatos y los gatos se comen a los ratones.

6. ¿Crees que los perros deben tener más privilegios que los gatos y los ratones? ¿Por qué? Critical Thinking

   Answers will vary.

Así se dice

For both pages, discuss the concepts in the boxes and be sure students understand the examples. Then have them complete the activities on a separate sheet of paper. Assist students as necessary. For **Así se dice**, have students read aloud the sounds as they complete the activities.

Las **palabras agudas** son las que tienen la fuerza de la pronunciación en la última sílaba. Si terminan en **n**, **s** o **vocal**, llevan un acento.

➤ sin acento: re**loj**   fe**liz**   ga**nar**

➤ con acento: tam**bién**   po**drás**   pa**pá**

1. Escoge las palabras agudas.

   a. ratones

   b. (montón)

   c. (detrás)

   d. claro

   e. (así)

   f. (verdad)

Los **diminutivos** se usan para indicar que hablamos de algo o alguien pequeño, o para indicar cariño. Hay varios diminutivos, pero los más comunes se forman con las terminaciones o sufijos **–ito** / **–ita**, **–cito** / **–cita**

➤ Quiero mucho a mi abue**lita**. / El niño juega con su tren**cito**.

2. Cambia las palabras a un diminutivo. Usa los diminutivos en oraciones.

   a. **agujero** agujerito

   b. **perra** perrita

   c. **ratón** ratoncito

   d. **comida** comidita

   e. **compañeras** compañeritas

   f. **gatos** gatitos

3. Busca la palabra que significa lo mismo en la lectura. El número dice en qué párrafo está la palabra.

   a. cosas a las que solamente un grupo tiene derecho (2) privilegios

   b. alguien que roba (3) ladrón

   c. correr de un lado para otro (10) corretean

4. Usa las palabras de la actividad anterior para completar las oraciones.

   a. Uno de los   privilegios   era dormir en cojines.

   b. El gato   ladrón   le sacó el papel mientras dormía.

   c. Los perros y los gatos   corretean   por el corral.

Así se escribe

El **acento** se usa para indicar la fuerza de la pronunciación. Hay palabras que cambian de significado dependiendo del acento.

➤ La niña **está** en su casa.   **Esta** niña es mi amiga.

1. Escoge la palabra que completa la oración.

    a. Cuando leyeron el documento, tanto los gatos (como)/cómo) los ratones se enojaron.

    b. La asamblea de los perros (esta/está) reunida.

    c. (Té/Te) recomiendo que le hagas caso.

    d. Los perros (se/sé) fueron furiosos a la asamblea de los ratones.

Los **puntos suspensivos (…)** indican que una frase, un párrafo o enumeración está incompleto. También se usan para indicar que hay una pausa con la que se expresa duda, sorpresa, miedo y otras emociones..

➤ ¡No puede ser! Nosotros… que somos tan guapos… que somos tan limpios…

➤ En el museo había cuadros, esculturas, tapices…

2. Coloca puntos suspensivos (…) en el lugar apropiado.

    a. Debo cuidar el documento… pero qué sueño… no puedo mantenerme despierto…

    b. Es que yo… ¡es que yo creía que tenías el documento!

    c. Y el ratoncito se reía… y corría… y después se escondía en su agujerito.

A escribir

Discuss with students the privileges that the dogs enjoyed in the story, and the reactions of the cats and the mice. Ask them if the reactions were justified. Then have them write a paragraph on a separate sheet of paper. Remind them to use correct punctuation.

● Imagina dos animales diferentes. Un animal tiene privilegios y el otro no. ¿Qué privilegios te gustaría que tuviera el primer animal? ¿Cómo reaccionaría el otro animal? ¿Por qué? Escribe un párrafo.   Answers will vary.

Discuss with students what constitutes a good friendship. Have them point out the characteristics of a good friend, and what friends do for each other. Then ask the following questions.

Antes de leer

¿Cuántos amigos y amigas tienes?
How many friends do you have?
¿Cómo es tu mejor amigo o amiga?
What is your best friend like?
¿Por qué es tu mejor amigo o amiga?
Why is he/she your best friend?

El señor Mono y don Tortuga

Alfonso Chase
adaptación

Have students read the selection. In order to help with comprehension, you may want to use reading strategies, such as echo reading, retell and summarize, and so on. Point out that the highlighted words are defined in the end glossary. Help students with unfamiliar words and structures, and guide them to decode verbs and verb tenses, as necessary.

1   Cuando el rey de los monos se puso viejo, un sobrino suyo le quitó el trono alegando que estaba muy viejo y que ya no servía para nada.

2   El pobre mono viejo tuvo que retirarse a vivir cerca del mar, en lo alto de un árbol de mangle. Allí se alimentaba con lo que podía, sobre todo, con los higos que crecían en la higuera silvestre.

3   El mono se divertía tirando higos al agua y meditaba mucho sobre las cosas que pasaban en el mundo, y cómo a veces se podía ser malagradecido.

4   Debajo del árbol de mangle vivía don Tortuga, que recogía algunos de los higos que tiraba el mono, creyendo que se los tiraba para alimentarlo. Un día, don Tortuga asomó la cabeza y le dijo al mono viejo:

—Gracias, señor Mono, por tirarme tan ricos bocados.

5   El mono viejo se rió, sintiéndose menos solo por tener compañía, aunque don Tortuga fuera tan pretencioso y comelón.

6   Desde entonces, don Tortuga hablaba todos los días con el señor Mono, volviéndose con el tiempo grandes amigos.

7   Pasado algún tiempo, don Tortuga pensó en volver a su casa para ver a sus hijos y a su esposa, que vivían en una isla distante.

8   Don Tortuga tenía una esposa muy celosa e intrigante, que no quería que su marido estuviera perdiendo el tiempo oyéndole tonterías a un mono viejo. Cuando llegó don Tortuga a la isla, su esposa se fingió enferma. Don Tortuga le preguntó:

—¿Qué te pasa? ¿Estás enferma?

9   Pero ella ni respondía.

10   Entonces don Tortuga consultó con las vecinas y ellas le dijeron:

—Tu esposa está muy enferma. ¿Sabes con qué puede curarse?

—No —dijo él.

—Con el corazón de un mono —le respondieron ellas.

11   Don Tortuga se espantó al oír aquello. El único mono que conocía era el señor Mono: —No, no,— pensó. —Él es mi amigo.

12   Don Tortuga pasó muchos días meditando y venciendo su tristeza, se dijo:

—Bueno, ¿qué vale más: el corazón de un mono o la salud de mi esposa? Y decidió regresar, para traerle a su esposa el corazón del mono.

13   Al llegar a la orilla del mar, el señor Mono le ofreció los mejores higos, le contó todas las cosas que habían pasado en su ausencia, y le preguntó por qué había regresado tan pronto.

14   Don Tortuga le dijo:

—Es que en mi casa te quieren conocer…

15   Pero el señor Mono le contestó:

—Ya estoy muy viejo para andar haciendo visitas. Además, yo no sé nadar…

16   Sin hacer caso de sus razones, don Tortuga le dijo:

—No te preocupes… yo te llevo sobre mi caparazón.

17   Y el señor Mono aceptó, contento de que todavía hubiera gente agradecida en el mundo, sobre todo, cuando a él todo le había salido al revés.

18   Entonces emprendieron el viaje a la casa de don Tortuga. El señor Mono siempre contándole todo lo que había visto desde el árbol, y dándole a su amigo, don Tortuga, los mejores higos.

19   En un claro del bosque se detuvieron sorpresivamente. El mono preguntó:

—¿Qué te sucede, amigo mío? ¿Estás cansado? Mejor me bajo y así podrás descansar un rato.

20   Don Tortuga se sintió muy mal y decidió decirle la verdad:

—No, amigo. Es que tengo a mi esposa enferma y sólo podría curarse si le llevo el corazón de un mono.

—Me lo hubieras dicho antes, —respondió el mono. —Lo habría traído conmigo y así no hubiéramos tenido ningún contratiempo.

21   Don Tortuga se quedó muy extrañado y le preguntó:

—¿Cómo, dónde lo dejaste? ¿Pero cómo puede andar alguien sin corazón?

22   El señor Mono le dijo:

—¿Acaso no sabes que el corazón es el lugar de todos los malos pensamientos y deseos? Por esa razón, es costumbre entre los monos nobles dejar el corazón en casa cuando vamos a visitar a nuestros amigos. Pero si lo necesitas urgentemente vamos por él.

23   Con gran alegría escuchó don Tortuga las palabras del mono, y desandando el camino se devolvieron hasta la casa del mono.

24   Al llegar, el mono de un salto se trepó en lo más alto del árbol de mangle donde, libre de todo susto e instalado en una rama, se puso a comer higos y a meditar sobre la ingratitud del mundo.

25   Don Tortuga, impaciente, le llamó diciéndole:

—Baja, amigo mono. Trae el corazón y vámonos rápido que mi esposa se muere.

26   Pero el señor Mono, asomándose desde lo alto del árbol, le dijo:

—¿Crees que soy tan tonto como tú? ¿De dónde voy a sacar el corazón, si como todos los seres vivos lo cargo en el pecho? Nunca más voy a confiar en un amigo como tú.

Comprendo lo que leí

Discuss the selection with students. Then have them complete the activities on a separate sheet of paper.

1. ¿Quién estaba viejo y no servía para nada?

    a. el mono
    b. el sobrino del mono
    c. don Tortuga

2. ¿Cómo se sintió el mono después de hablar con la tortuga?

    a. divertido
    b. menos solo
    c. malagradecido

3. ¿Qué hizo la esposa de don Tortuga?

    a. Se puso celosa e intrigante.
    b. Pidió un corazón de mono.
    c. Se fingió enferma.

4. ¿Qué necesitaba la esposa para curarse?

    a. la salud
    b. el corazón de un mono
    c. los higos que comía el mono

5. ¿Adónde emprendieron el viaje la tortuga y el mono?

    a. a la casa de don Tortuga
    b. al mangle
    c. a la higuera

6. ¿Qué crees que hará don Tortuga, ahora que sabe que no puede regresar con el mono? Critical Thinking
    Answer will vary.

Así se dice

For both pages, discuss the concepts in the boxes and be sure students understand the examples. Then have them complete the activities on a separate sheet of paper. Assist students as necessary. For **Así se dice**, have students read aloud the sounds as they complete the activities.

> **Recuerda** que **las palabras agudas** son las que tienen la fuerza de la pronunciación en la última sílaba. Si terminan en **n**, **s** o **vocal**, llevan un acento.

1. Separa en sílabas las palabras. Identifica las palabras agudas.

    a. comelón co-me-lón (aguda)

    b. árbol árbol

    c. revés re-vés (aguda)

    d. orilla o-ri-lla

    e. ingratitud in-gra-ti-tud (aguda)

    f. tener te-ner (aguda)

> Se usan **pronombres reflexivos** cuando la persona que hace la acción es la misma que recibe la acción. Los reflexivos son: **me** (yo), **te** (tú), **se** (él/ella/usted), **nos** (nosotros/nosotras) y **se** (ellos/ellas/ustedes).
>
> ➤ Él **se** levanta tarde. / No es bueno levantar**se** tarde.
>
> ➤ Yo **me** cepillo los dientes por la mañana. ¿Cuándo **te** cepillas los dientes?

2. Completa las oraciones con el pronombre reflexivo.

    a. El rey de los monos se puso viejo.

    b. Yo me alimentaba con lo que podía.

    c. Vámonos rápido, que mi esposa se muere.

3. Busca la palabra que significa lo mismo en la lectura. El número dice en qué párrafo está la palabra.

    a. frutos de la higuera (2) higos

    b. que come mucho (5) comelón

    c. protección exterior de las tortugas (11) caparazón

4. Usa las palabras de la actividad anterior para completar las oraciones.

    a. El viejo mono se trepó en el caparazón de la tortuga.

    b. Don Tortuga era muy comelón .

    c. El señor Mono le ofrecía a su amigo los mejores higos .

Así se escribe

Los **prefijos** son un grupo de letras que se ponen delante de una palabra. Estas letras cambian el significado de la palabra. Los prefijos **des–** y **mal–** cambian el significado de la palabra a lo opuesto de algo.

➤ **des**peinar   ➤ **des**tapar

➤ **mal**trato   ➤ **mal**acostumbrar

1. Añade el prefijo *des-* a las palabras. Busca su significado en el diccionario.

   a. andar   desandar: volver a recorrer el camino recorrido antes

   b. conocer   desconocer: que no se conoce a alguien o algo, o no saber alguna cosa

   c. ventaja   desventaja: cosa que hace que una persona esté en peor situación que otras

   d. confiar   desconfiar: no tener confianza en alguien o en algo

   e. obedecer   desobedecer: no hacer lo que manda otra persona

   f. contento   descontento: que no está contento o satisfecho

2. Añade el prefijo *mal-* a las palabras. Busca su significado en el diccionario.

   a. agradecido   malagradecido: que no es agradecido

   b. educado   maleducado: que no sabe compartarse como es debido y no trata con respeto a los demás

   c. entendido   malentendido: interpretar o entender mal una cosa

   d. intencionado   malintencionado: que tiene mala intención, que pretende hacer daño

   e. humorado   malhumorado: que está o suele estar de mal humor

   f. comer   malcomer: comer poco y mal

3. Escribe en tu cuaderno cuatro oraciones usando palabras con los prefijos *des-* y *mal-*. Answers will vary.

A escribir

Discuss with students the good friendship that the turtle and the monkey enjoyed. Have them think about the the turtle's action (telling the truth) and the monkey's reaction (ending the friendship). Then have them write a paragraph on a separate sheet of paper. Remind them to use correct punctuation.

● ¿Crees que el señor Mono hizo bien en acabar su amistad con don Tortuga? ¿Por qué? Escribe un párrafo.

Answers will vary.

Discuss with students their favorite fruits and vegetables. Have them talk about where these fruits and vegetables come from. Then ask the following questions.

Antes de leer

¿Qué frutas y verduras te gusta comer?
What fruits and vegetables do you like to eat?
¿Dónde obtienes las frutas y verduras que comes en tu casa?
Where do you get the fruits and vegetables that you eat at home?
¿Te gustaría sembrar tus propias plantas y verduras? ¿Por qué?
Would you like to plant your own fruits and vegetables? Why?

Hombre trabajando su huerto
con dos bueyes, La Habana, Cuba

Hombre cortando
fruto del mango

Huertos en la ciudad

Patricia Acosta

Have students read the selection. In order to help with comprehension, you may want to use reading strategies, such as echo reading, retell and summarize, and so on. Point out that the highlighted words are defined in the end glossary. Help students with unfamiliar words and structures, and guide them to decode verbs and verb tenses, as necessary.

1   Para estar sanos, es importante comer frutas y verduras todos los días. Una de las mejores formas de obtener frutas y verduras frescas es visitar el mercado local de tu comunidad o sembrar tu propio huerto.

2   En Cuba, aunque millones de personas viven en la ciudad, muchas de ellas siembran pequeños huertos. Esta práctica es tan común que, con el paso de los años, cientos de patios, parques y jardines por toda la ciudad se han transformado en huertos donde se siembran los alimentos de la familia.

3   En La Habana, la capital de Cuba, nueve de cada diez frutos frescos que consumen los habitantes vienen de estos pequeños huertos. ¡Eso es más de un millón de toneladas de frutas y verduras frescas cada año!

4   Los alimentos que crecen en estos huertos varían o cambian según la temporada. Por ejemplo, la temporada de guayaba es de junio a diciembre y se da en abundancia. De enero a mayo no se da guayaba, por lo general. En Cuba, donde el clima es tropical, crecen algunos alimentos durante todo el año, como el mango y el aguacate.

Recogiendo lechuga

Huerto de lechugas

5   Algunos de los alimentos que se siembran en estos pequeños huertos son: la guayaba, el aguacate, el mango, el limón, la calabaza, la lechuga, los frijoles y los garbanzos.

6   Los huertos urbanos son buenos para la salud por varias razones.

7   Primero, los huertos urbanos nos dan acceso rápido a alimentos deliciosos y ricos en vitaminas y minerales. Estas vitaminas y minerales nos ayudan a mantenernos sanos y evitar enfermedades. Además, los alimentos sembrados en huertos urbanos muchas veces tienen mejor sabor que los que venden en los supermercados.

8   La diferencia en el sabor de estos alimentos se debe a que, para poder transportar las frutas y verduras del campo a supermercados lejanos, éstas deben ser cortadas antes de que estén maduras. Luego estos alimentos se maduran en cuartos con luz artificial. Las frutas y verduras que se siembran en los huertos urbanos no tienen que viajar largas distancias antes de que las personas puedan consumirlas. Maduran bajo la luz natural del sol. ¡El resultado es una fruta o verdura muy deliciosa y saludable!

Mujer trabajando en un huerto urbano

9   Segundo, los huertos urbanos crecen con fertilizantes naturales. Estos fertilizantes ayudan a proteger el medio ambiente ya que no contaminan tanto como los fertilizantes que normalmente se usan en huertos más grandes.

10   Una tercera razón por la que los huertos urbanos son buenos para la salud es que, para mantener estos huertos, necesitamos movernos más. En un huerto pequeño el trabajo de sembrar, cuidar las plantas y recoger los frutos no se puede hacer con máquinas. Debemos hacer este trabajo con nuestras propias manos. De esta manera podemos cuidar las plantas y hacer ejercicio al mismo tiempo.

Siembra tu propio huerto

11   Tú puedes tener tu propio huerto en casa, sin que importe dónde vivas: en el campo, en la ciudad, en una casa o en un edificio. Sólo necesitas sol, agua, tierra, semillas y un poco de motivación.

Persona sembrando en un huerto

12   Si tu casa tiene un jardín donde puedas sembrar, busca un lugar que no tenga demasiada sombra. Los cultivos normalmente necesitan entre ocho y diez horas al día de luz solar. Si no tienes un jardín, puedes sembrar tu propio huerto en cualquier recipiente a prueba de agua.

13   En un huerto pequeño puedes cultivar frutas y verduras como el pepino, la zanahoria, la lechuga, el maíz, las calabazas, las fresas y el tomate, entre otros. Muchos de estos alimentos son fáciles de cultivar. Pero recuerda que debes escoger frutas y verduras apropiadas para la temporada. Lo mejor es combinar diferentes plantas en tu huerto.

Hombre vendiendo alimentos en un huerto urbano

¡A sembrar!

14 Para sembrar tu huerto debes…

Familia preparando alimentos del huerto

1 Poner una capa de nutrientes como la composta o el abono orgánico.

2 Obtener semillas de diferentes plantas y estudiar qué necesita cada planta para poder crecer.

3 Sembrar las semillas con mucho cuidado y cubrirlas con un poco de composta.

4 Regar tu huerto todos los días las veces que sea necesario. (Ten cuidado de no ahogar las plantas y evita desperdiciar el agua).

15 De vez en cuando debes cambiar los tipos de alimentos que siembras en tu huerto. Así, las plantas tendrán más nutrientes ¡y tú podrás probar una gran variedad de alimentos cultivados por ti!

16 Sin duda, tener un huerto es una manera excelente de mantenerte saludable… aunque vivas en la ciudad.

Frutas y verduras

Comprendo lo que leí

Discuss the selection with students. Then have them complete the activities on a separate sheet of paper.

1. Las frutas y las verduras varían según…

    a. el huerto.

    b. la temporada.

    c. la ciudad.

2. Los huertos que se siembran en la ciudad se llaman huertos…

    a. de toneladas.

    b. del campo.

    c. urbanos.

3. ¿Cómo se maduran las frutas y las verduras en un huerto urbano?

    a. con la luz natural del sol

    b. al viajar largas distancias

    c. con la luz artificial

4. ¿Qué usan las personas para recoger los frutos del huerto?

    a. máquinas

    b. sus manos

    c. fertilizantes

5. Al sembrar un huerto, lo mejor es…

    a. regar con mucha agua.

    b. sembrar donde hay mucha sombra.

    c. combinar diferentes plantas.

6. ¿Qué pasa si regamos demasiado las plantas? Critical Thinking

    Answers will vary.

Así se dice

For both pages, discuss the concepts in the boxes and be sure students understand the examples. Then have them complete the activities on a separate sheet of paper. Assist students as necessary. For **Así se dice**, have students read aloud the sounds as they complete the activities.

> Las palabras que llevan la fuerza de la pronunciación en la penúltima sílaba se llaman **palabras llanas** (o **graves**).
>
> ➤ verde: **ver**-de   origen: o-**ri**-gen   cocodrilo: co-co-**dri**-lo
>
> Las palabras llanas llevan acento si no terminan con las letras **n**, **s**.
>
> ➤ líder: **lí**-der   azúcar: a-**zú**-car   túnel: **tú**-nel

1. Identifica las palabras llanas.

   a. clima
   b. verduras
   c. jardín
   d. fácil
   e. ciudad
   f. éstas

> Los **sinónimos** son palabras que tienen significados iguales o muy parecidos.
>
> ➤ casa: hogar, vivienda   gente: personas

2. Busca en el diccionario un sinónimo para cada palabra.

   a. sano   saludable
   b. huerto   huerta, jardín
   c. sembrar   plantar
   d. consumir   comer, beber, usar
   e. urbano   metropolitano
   f. verdura   hortaliza, vegetal

3. Busca la palabra que significa lo mismo en la lectura. El número dice en qué párrafo está la palabra.

   a. terreno pequeño donde se cultivan frutas y verduras (1)   huerto
   b. llevar personas o cosas de un lugar a otro (8)   transportar
   c. parte del fruto de la que nace una nueva planta (11)   semillas

4. Usa las palabras de la actividad anterior para completar las oraciones.

   a. Después de sembrar las   semillas   , se riega la tierra.
   b. Hoy vamos a recoger los frutos del   huerto   .
   c. Necesitan camiones para   transportar   las verduras a la ciudad.

Así se escribe

1. Corrige las oraciones con el plural de la palabra subrayada.

   a. Muchas <u>ciudad</u> tienen huertos en sus parques. ciudades

   b. Los <u>jardín</u> de las casas también se convierten en huertos. jardines

   c. Alimentarse bien es una de las <u>razón</u> para tener un huerto. razones

   d. Los huertos son <u>fácil</u> de mantener. fáciles

   e. Las frutas de mi huerto son las <u>mejor</u>. mejores

   f. Algunas verduras son ricas en <u>mineral</u>. minerales

2. Identifica los cognados.

   a. limón   e. huerto   i. calabaza

   b. urbano   f. fertilizante   j. artificial

   c. aguacate   g. mango   k. motivación

   d. orgánico   h. distancia   l. nutrientes

3. Coloca puntos suspensivos (…) en el lugar apropiado.

   a. Hacer ejercicios es saludable… ¡además es divertido!

   b. Mi huerto tiene zanahorias, tomates, cebollas…

A escribir

Discuss with students the use of urban areas to grow fruits and vegetables. Have students talk about the climate where they live, as well as the fruits and vegetables grown locally. Then have them write a paragraph on a separate sheet of paper. Remind them to use correct punctuation.

● ¿Cómo es el clima en donde vives? ¿Se puede sembrar todo el año?

   ¿Qué frutas y verduras se pueden sembrar? Escribe un párrafo.

   Answers will vary.

Discuss dreams with students. Have them describe what happens when you dream. Then ask the following questions.

Antes de leer

¿Por qué crees que soñamos?
Why do you think we dream?
¿Sueñas a menudo o casi nunca?
Do you dream frequently or almost never?
¿Con qué sueñas?
What do you dream about?

La cama mágica de Bartolo

Mauricio Paredes
fragmento

1   Bartolo se despertó con un ruido explosivo, como el de un bus viejo pasando a toda velocidad. Pero aún tenía mucho sueño. Su mente se levantó, pero su cuerpo siguió acostado. Apaciblemente, con una flojera rica, se fue enderezando. Todavía sin abrir los ojos sintió el sol en su cara y meditó acerca del increíble sueño que había tenido, en el que volaba arriba de su cama hasta las montañas...

—Qué lindo sería que hubiese sido cierto —suspiró, y de un salto salió de las sábanas para bajar a tomar desayuno.

2   Pero precisamente en ese instante, sintió que pisaba algo sumamente frío. Abrió los ojos, la boca y hasta las orejas tan grandes como podía, pero no creyó lo que estaba viendo. ¡No había sido un sueño, era verdad! ¡Estaba en medio de inmensos cerros blancos, en las Alturas de los Andes!

—¡Viva, viva, viva! ¡Estoy en las montañas! —cantaba Bartolo mientras bailaba alrededor de su objeto volador «sí» identificado. Después de unas cuantas vueltas, sentía los dedos como cubos de hielo, así que prefirió seguir bailando encima de la cama—. ¡Viva, viva! ¡Estoy en las montañas con mi cama mágica!

3   Terminado su baile de celebración, observó lo que tenía alrededor. El cielo era más azul de lo que nunca había visto y la nieve resplandecía tanto que tuvo que cerrar los párpados casi totalmente.

4   Todo era espectacular. Mucho mejor que los mapas del libro de geografía; incluso más bonito que cuando llovía y al día siguiente amanecía despejado y él contemplaba, a través de la ventana de la clase de matemáticas, la nieve recién caída en la cordillera (y eso era muy, muy lindo).

5   Se entretuvo, feliz de la vida, hasta que le dio hambre. Pensó que tenía dos posibilidades: una, ir a explorar los alrededores; la otra, quedarse sentado esperando hasta que la cama partiera. Con la primera opción, la cama podía salir volando antes de que él volviese, y no era gracioso quedarse desamparado tan lejos de su casa; pero con la segunda moriría de hambre de todas maneras. Como Bartolo no era nada de tonto, partió a buscar comida.

6   Decidió subir una loma para mirar desde ahí. Cuando llegó a la cima vio la cosa más increíble que jamás, jamás, jamás (jamás, en serio) había visto. Al otro lado de la colina existía una ciudad fantástica. No había nieve, sino pasto por todos lados, y ríos, y lagos, y todo estaba rodeado de bosques, y ¡hacía

calor! Las casas tenían la misma forma que un reloj de arena, pero en gigante. Los autos estaban pintados de colores divertidos: celestes con puntos verdes y rosados o amarillos con rayas negras como abejas. Los árboles daban varios tipos de frutas a la vez: peras, manzanas, naranjas, plátanos, piñas, sandías. Todas en un mismo árbol. Incluso algunos daban chicles, chocolates, helados, papas fritas y hasta churros rellenos con manjar. Y por si todo esto fuera poco, los habitantes (que se veían muy alegres) eran... ¡Conejos y zorros! Los zorros no eran tantos, pero los había... En realidad casi todos eran conejos.

7   Caminaba nuestro protagonista hacia uno de estos árboles de comida cuando escuchó un grito:

—¡¡Abraham Opazooo!!

8   No alcanzó a entender lo que significaba, cuando algo lo tiró al suelo con vuelta de carnero y todo. Pasado el golpe, se sentó en el pasto para recuperarse y vio que se le acercaba un zorro que se veía igual de mareado que él.

—Perdóname por haberte trompetillado con mi moto-silueta —le dijo.

9   Bartolo solo atinó a responder:

—¿Qué?

—Con la moto-silueta… te trompetillé recién, ¿te acuerdas?

10   Luego de un momento de reflexión, dedujo que lo que quería decir el zorro era que lo había atropellado con su motocicleta.

—¿Estás bien?

11   Bartolo respondió afirmativamente.

—Permíteme presentarme, soy el Gran Mermeladuque Roelzo el Magnífico —y luego hizo un saludo muy elegante.

12   A Bartolo le pareció que era un zorro muy simpático y bien educado (pero en realidad no conocía muchos otros zorros que digamos). Estaba a punto de explicarle su situación, pero el animal lo tomó de un brazo y con un solo tirón lo subió a la moto-silueta.

—¡Agárrate fuerte, niño!

—Me llamo Bartolo —lo interrumpió.

—Agárrate fuerte igual, niño Bartolo, porque vamos muy sumamente repeteatrasados —y arrancó como un bólido.

13   [*El zorro lleva a Bartolo a conocer la ciudad fantástica y sus habitantes. Bartolo tiene muchas aventuras y conoce nuevos amigos, hasta que su mamá lo despierta del sueño porque es hora de ir a la escuela.*]

Comprendo lo que leí

Discuss the selection with students. Then have them complete the activities on a separate sheet of paper.

1. ¿Dónde está Bartolo cuando despierta?

   a. en un bus

   b. en su casa

   (c.) en las montañas de los Andes

2. ¿Qué era el "objeto volador" de Bartolo?

   a. las montañas

   (b.) la cama mágica

   c. el bus

3. ¿Por qué decide Bartolo salir de la cama?

   a. Porque quiere ver la ciudad.

   b. Porque tiene frío.

   (c.) Porque le dio hambre y quiere buscar comida.

4. ¿Cómo era el clima en la ciudad fantástica?

   (a.) Hacía calor.

   b. Hacía frío.

   c. Era fantástico.

5. ¿Qué crees que quiere decir "¡¡Abraham Opazooo!!"?

   a. Abran un pozo.

   (b.) Abran paso.

   c. Abraham es un oso.

6. ¿Por qué crees que en la ciudad fantástica hay más conejos que zorros?
   Answers will vary.   Critical Thinking

Así se dice

Los **diptongos** son dos vocales que están en una misma sílaba. Una vocal es fuerte y la otra es débil. Las vocales fuertes son: **a**, **e**, **o**. Las vocales débiles son: **i**, **u**. Dos vocales débiles también forman un diptongo.

➤ aire: **ai**-re   ➤ viaje: **via**-je   ➤ ciudad: **ciu**dad

1. Separa en sílabas las palabras. Identifica la sílaba con diptongo.

   a. ruido (rui)-do   d. bailaba (bai)-la-ba   g. teatro (tea)-tro
   b. viejo (vie)-jo   e. autos (au)-tos   h. ciudadano (ciu)-da-da-no
   c. rodeado ro-(dea)-do f. nieve (nie)-ve   i. luego (lue)-go

---

Un **diptongo se rompe** cuando se acentúa la vocal débil. Si se acentúa la vocal fuerte, no se rompe el diptongo.

➤ vocal débil: te-n**í**-**a**   ➤ vi-v**í**-**a**   ➤ a-cen-t**ú**-**a**
➤ vocal fuerte: sa-l**ió**   ➤ qu**ié**n

2. Separa en sílabas las palabras.

   a. abrió a-brió   d. veía ve-í-a
   b. increíble in-cre-í-ble e. sandía san-dí-a
   c. después des-pués   f. situación si-tua-ción

3. Busca la palabra que significa lo mismo en la lectura. El número dice en qué párrafo está la palabra.

   a. que vuela (2) volador
   b. es un sinónimo de colina (6) loma
   c. personas que habitan en un lugar (6) habitantes

4. Usa las palabras de la actividad anterior para completar las oraciones.

   a. La cama de Bartolo era un aparato volador .
   b. La ciudad tenía habitantes fantásticos.
   c. Bartolo subió la loma para ver qué había del otro lado.

Así se escribe

Las **expresiones idiomáticas** son frases que significan algo diferente de lo que dicen.

➤ El niño **metió la pata** cuando no hizo caso.

significado incorrecto: El niño puso la pierna en algún lado al no hacer caso.

significado correcto: El niño se equivocó al no hacer caso.

1. Usa las expresiones idiomáticas para completar las oraciones.

| a toda velocidad | vuelta de carnero | como un bólido |

a. El zorro estaba de prisa, subió a su motocicleta y arrancó como un bólido .

b. Bartoló dio una vuelta de carnero al caerse de la cama.

c. El zorro y Bartolo paseaban por la ciudad a toda velocidad .

El **adverbio** es la palabra que nos dice **de qué modo** se hace algo o **cómo pasa**. Algunos adverbios terminan en –**mente**.

➤ ¿Cómo salta Cali? Cali salta **rápidamente**.

2. Completa las oraciones con un adverbio.

| sumamente | apaciblemente | precisamente |

a. Bartolo dormía apaciblemente , cuando de pronto escuchó un ruido.

b. Precisamente te iba a llamar hoy.

c. El clima en la ciudad era sumamente caluroso.

A escribir Discuss with students Bartolo's dream and the fantastic things he encountered during his dream. Have them recall a strange and wonderful dream of their own. Then have them write a paragraph on a separate sheet of paper. Remind them to use correct punctuation.

● ¿Cuál es tu sueño fantástico preferido? ¿Qué ves y qué haces durante tu sueño? Escribe un párrafo. Answers will vary.

Discuss with students how music helps them to learn new skills, to be more creative, and to have more discipline and fun at the same time. Have them talk about musical instruments and their favorite musicians. Then ask the following questions.

Antes de leer

¿Te gusta la música? ¿Por qué?
Do you like music? Why?

¿Qué instrumento musical quieres aprender a tocar?
Which musical instrument would you like to learn to play?

¿Quién es tu músico favorito? ¿Por qué?
Who's your favorite musician? Why?

Gustavo Dudamel

Gustavo Dudamel: el músico que inspira a los niños

Patricia Acosta

Have students read the selection. In order to help with comprehension, you may want to use reading strategies, such as echo reading, retell and summarize, and so on. Point out that the highlighted words are defined in the end glossary. Help students with unfamiliar words and structures, and guide them to decode verbs and verb tenses, as necessary.

1   Miles de niños en todo el mundo sueñan con ser como Gustavo Dudamel. Es uno de los músicos y directores de orquesta más queridos, apasionados y talentosos del planeta.

2   Cuando era muy pequeño, a Gustavo le gustaba escuchar discos de música clásica e imaginar que dirigía grandes orquestas en hermosas salas de concierto. Hoy en día, Gustavo ha hecho realidad su sueño de dirigir a los mejores músicos del mundo. También se ha dedicado a dirigir orquestas de jóvenes y a inspirar a miles de niños en Venezuela y en Estados Unidos a participar en la música.

3   Gustavo nació en Barquisimeto, Venezuela, el 26 de enero de 1981. Su padre le enseñó música desde que era niñito y, a la edad de cuatro años, Gustavo comenzó a estudiar el violín.

4   La familia de Gustavo no tenía suficiente dinero para pagar las clases de violín. Pero, gracias a "El Sistema Nacional de Orquestas Juveniles e Infantiles de Venezuela" (SNOJIV), Gustavo tuvo la oportunidad de estudiar música.

El maestro es popular entre niños y adultos

5   "El Sistema", como lo llaman en Venezuela, es un programa especial del gobierno que usa la música clásica para cambiar la vida de miles de niños pobres en todo el país. Este sistema fue creado hace más de treinta años por el maestro y músico José Antonio Abreu.

Gustavo Dudamel y el maestro José Antonio Abreu

6   El maestro Abreu tenía el sueño de usar la música para ayudar a los niños más necesitados a convertirse en ciudadanos felices, productivos y deseosos de vivir en un mundo mejor. Él estaba convencido de que si los niños aprendían a amar el arte y la música, serían mejores seres humanos. No tendrían el tiempo, o el deseo, de hacer cosas peligrosas o dañinas.

7   Poco a poco Abreu y un grupo de maestros comenzaron a ofrecer clases de música gratis para niños de familias pobres que vivían en las zonas más peligrosas del país. Estos maestros convirtieron las clases de música clásica en un juego divertido. En poco tiempo convencieron a los niños y a sus padres a comprometerse a practicar todos los días y dar lo mejor de sí.

8   El resultado del trabajo del maestro Abreu es "El Sistema", en el que Gustavo Dudamel tuvo la oportunidad de aprender música junto a otros miles de niños venezolanos.

El maestro Dudamel con jóvenes de la Orquesta Juvenil de Los Ángeles, California (2008)

9   "El Sistema" ha ayudado a más de 250,000 niños
y jóvenes de todo el país a encontrar el amor por la
música y, así, a cambiar sus vidas.

10   Orgulloso de su comunidad, su cultura, sus valores,
su familia y de "El Sistema", Gustavo se entregó a la
música, a los estudios y a la comunidad.

11   Además de estudiar el violín, Gustavo estudió
composición musical y dirección de orquesta.
La dedicación y el trabajo de este talentoso joven
pronto dieron fruto. Cuando aún era un adolescente,
fue nombrado director de la Orquesta Sinfónica Juvenil
Simón Bolívar, una de las mejores orquestas juveniles
del mundo.

12   A los 23 años de edad, Gustavo entró en una
competencia de directores de
orquesta en Alemania. Era la
primera vez que dirigía una
orquesta profesional, pero aún
así no tuvo miedo. Gustavo
hizo un trabajo maravilloso y se
ganó el primer lugar. Los
grandes maestros de la música
pronto se dieron cuenta de que
Gustavo tenía un talento especial
y lo invitaron a dirigir orquestas
en diferentes partes del mundo.

El maestro dirigiendo la Orquesta
Sinfónica Juvenil Simón Bolívar (2009)

13   Poco después Gustavo fue nombrado director principal de la Orquesta Sinfónica de Gotemburgo, en Suecia y de la Orquesta Filarmónica de Los Ángeles.

14   A pesar de todos sus logros, Gustavo nunca se ha olvidado de su familia de "El Sistema".

15   Año tras año, Gustavo continúa dirigiendo e inspirando a los miembros de la Orquesta Sinfónica Juvenil Simón Bolívar. Además, ha seguido ayudando a más niños a entrar en "El Sistema", no solo en Venezuela, sino también en otras partes del mundo como Estados Unidos, Suecia y Gran Bretaña.

16   Hoy en día, uno de los deseos más grandes de Gustavo es seguir usando la música clásica para cambiar la vida de miles de niños que, como él, han sido transformados por este arte.

17   Seguramente, el amor y la pasión por hacer la música y por ayudar a los niños siempre estarán en el corazón de Gustavo Dudamel.

El maestro y la Orquesta Sinfónica Juvenil Simón Bolívar dando un concierto gratis en el barrio La Vega, Caracas, Venezuela (2009)

Comprendo lo que leí

Discuss the selection with students. Then have them complete the activities on a separate sheet of paper.

1. ¿Qué tipo de música le gustaba escuchar a Gustavo Dumadel?

   a. música popular
   b. música clásica
   c. música de violín

2. ¿Qué enseñan a los niños en "El Sistema"?

   a. el amor por la música
   b. a no hacer cosas peligrosas
   c. a ser ciudadanos

3. ¿Cuál fue la primera orquesta que Gustavo dirigió?

   a. la Orquesta Sinfónica de Gotemburgo
   b. la Orquesta Sinfónica Juvenil Simón Bolívar
   c. la Orquesta Filarmónica de Los Ángeles

4. ¿Por qué invitaron a Gustavo a dirigir orquestas en diferentes países?

   a. Porque tenía 23 años.
   b. Porque no tenía miedo a dirigir.
   c. Porque tenía un talento especial.

5. En "El Sistema" participan…

   a. niños y jóvenes de Venezuela y otros países.
   b. solo niños y jóvenes de Venezuela.
   c. solo niños y jóvenes de otros países.

6. ¿Qué hace un director de orquesta? Critical Thinking
   Answers will vary.

Así se dice

For both pages, discuss the concepts in the boxes and be sure students understand the examples. Then have them complete the activities on a separate sheet of paper. Assist students as necessary. For **Así se dice**, have students read aloud the sounds as they complete the activities.

Recuerda que un **diptongo se rompe** cuando la fuerza de la pronunciación cae sobre la vocal débil (**i, u**). En este caso se acentúa la vocal débil. Si se acentúa la vocal fuerte (**a, e, o**), no se rompe el diptongo.

➤ vacío: va-**cí-o**   países: pa-**í**-ses

➤ salio: sa-**lió**   quien: qu**ién**

1. Separa en sílabas las palabras

   a. días dí-as   c. dirigía di-ri-gí-a   e. cuatro cua-tro

   b. continúa con-ti-nú-a   d. nació na-ció   f. país pa-ís

Las **palabras esdrújulas** son las que tienen la fuerza de la pronunciación en la antepenúltima sílaba. Todas las palabras esdrújulas llevan un acento gráfico (o tilde).

➤ árboles: **ár**-bo-les, último: **úl**-ti-mo, pájaro: **pá**-ja-ro

2. Identifica las palabras esdrújulas.

   a. (músicos)   c. (sinfónica)   e. violín   g. (ángeles)

   b. también   d. (clásica)   f. (jóvenes)   h. pasión

3. Busca la palabra que significa lo mismo en la lectura. El número dice en qué párrafo está la palabra.

   a. instrumento musical de cuerda de forma parecida a una pequeña guitarra (3) violín

   b. sin tener que dar dinero a cambio o sin cobrar (7) gratis

   c. grupo formado por músicos que tocan diferentes instrumentos (12) orquesta

4. Usa las palabras de la actividad anterior para completar las oraciones.

   a. La entrada al concierto es   gratis   .

   b. La   orquesta   interpretará música clásica.

   c. El   violín   tiene un sonido muy dulce.

Así se escribe

Los **dos puntos (:)** representan una pausa más larga que la pausa de la coma. Los usos más comunes son: 1) antes de una cita; 2) antes de una enumeración; y 3) después del saludo en una carta. Otro uso de los dos puntos es, para explicar o detallar lo que se ha dicho antes.

➤ Gustavo Dudamel: el músico que inspira a los niños.

1. Coloca dos puntos (:) en el lugar apropiado.

   a. La Sinfónica Juvenil Simón Bolívar: una orquesta formada por jóvenes venezolanos.

   b. Gustavo Dudamel ha dirigido orquestas en: Venezuela, Alemania, Suecia y Estados Unidos.

   c. José Antonio Abreu: el maestro que enseñó a amar la música.

La terminación de los verbos indica el tiempo de los mismos. **Pasado** es el tiempo antes del momento en que se habla. **Presente** es el momento en que se habla. **Futuro** es el tiempo después del momento en que se habla.

➤ pasado: Gustavo diri**gió** una orquesta.

➤ presente: Gustavo diri**ge** una orquesta.

➤ futuro: Gustavo diri**girá** una orquesta.

2. Cambia las oraciones del presente al pasado y al futuro.

   a. Los niños tocan en la orquesta sinfónica. Los niños tocaron en la orquesta sinfónica.
   Los niños tocarán en la orquesta sinfónica.

   b. La orquesta viaja por todo el mundo. La orquesta viajó por todo el mundo.
   La orquesta viajará por todo el mundo.

   c. Gustavo enseña música a niños. Gustavo enseñó música a niños.
   Gustavo enseñará música a niños.

A escribir

Discuss with students the work done by "El Sistema" in Venezuela and throughout the world. Reread paragraph 6. Ask students if they believe that music can make a better World. Then have them write a paragraph on a separate sheet of paper. Remind them to use correct punctuation.

● ¿Puede la música convertir a los niños en ciudadanos felices, productivos y deseosos de vivir en un mundo mejor? ¿Cómo? Escribe un párrafo.
Answers will vary.

Discuss with students different kinds of painting styles (realistic, abstract) and use of colors (light, dark). Bring in a book of paintings and have them talk about some of the paintings. Then ask the following questions.

Antes de leer

¿Qué colores te gusta usar cuando pintas? ¿Por qué?
What colors do you like to use when you paint? Why?
¿Prefieres pintar gente, objetos o animales? ¿Por qué?
Do you prefer to paint people, objects, or animals? Why?
¿Qué es una obra de arte?
What is a work of art?

Guernica (1937), Museo Nacional Centro de Arte Reina Sofía, Madrid, España

Celebrando el arte de Picasso

Patricia Acosta

1   Año tras año en España se celebran fiestas y eventos culturales para festejar la vida y el arte del gran pintor Pablo Picasso.

2   Una de las celebraciones anuales más importantes es la fiesta de "Octubre Picassiano". Se celebra en Málaga, la ciudad natal de Picasso.

3   La fiesta honra al pintor a través de actividades artísticas. Por ejemplo, hay exposiciones de pintura, conciertos y presentaciones de teatro.

4   Los participantes de la fiesta también pueden visitar el Museo Picasso Málaga, uno de los seis museos que existen en España dedicados al pintor. En este museo, los visitantes pueden aprender sobre la vida de Picasso y la gran variedad de estilos, materiales y técnicas que usó Picasso en sus obras de arte.

5   Las obras están organizadas de acuerdo al "período" artístico en que pintó Picasso. Cada período marca un momento importante en su carrera de artista. Sus períodos artísticos principales son: el período azul, el período rosa, el protocubismo y el cubismo.

Have students read the selection. In order to help with comprehension, you may want to use reading strategies, such as echo reading, retell and summarize, and so on. Point out that the highlighted words are defined in the end glossary. Help students with unfamiliar words and structures, and guide them to decode verbs and verb tenses, as necessary.

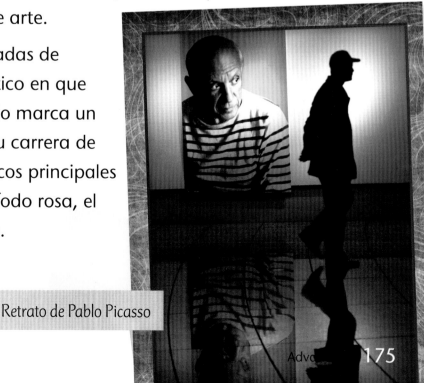

Retrato de Pablo Picasso

El período azul

6   Entre las obras más destacadas de Picasso se encuentran las pinturas del "período azul". Éste se llama así, porque el color que más usa en esas pinturas es el azul. Se cree que Picasso escogió este color porque estaba muy triste por la muerte de un amigo muy querido en París. El artista se sintió muy mal porque no pudo ir a ver a su amigo antes de que muriera.

Las dos hermanas (1902), pintura del período azul

7   Este período duró tres años, desde el 1901 al 1904. Los temas de las pinturas eran "retratos" de personas muy serias o tristes. Un retrato es una pintura que representa la cara o el cuerpo completo de una persona. Usualmente la persona del retrato es importante para el pintor, o es una persona que le paga al pintor para que la pinte.

8   En el período azul Picasso usó un estilo realista, por lo que sus obras eran representaciones reales de las personas o los objetos que pintaba.

9   Para identificar qué pinturas de Picasso son de este período te puedes hacer las siguientes preguntas: ¿Usa mucho el color azul?, ¿parece que es de noche? y ¿están las personas serias? Si contestas "sí" a las preguntas, es muy posible que esa pintura sea del período azul.

El período rosa

10   Las obras del período rosa de Picasso son celebradas por sus personajes divertidos, que reflejan el buen sentido del humor del pintor.

11   Se llama "período rosa" porque los colores que más usa en sus pinturas son el rosado y el anaranjado. Se cree que Picasso escogió estos colores alegres debido a que había conocido a una mujer que compartía su amor por la pintura y él era muy feliz con ella.

12   El período rosa duró dos años, de 1905 a 1907. Los temas de sus pinturas eran principalmente artistas y payasos de circo y muchas de las pinturas incluyen un "arlequín". Un arlequín es un personaje cómico que, en la antigüedad, divertía a los reyes. Los arlequines de las pinturas de Picasso llevan la ropa típica del personaje: un traje de rombos, con un sombrero de picos.

Paulo vestido de arlequín (1924), pintura del período rosa

13   Las obras del período rosa se pueden identificar respondiendo a las siguientes preguntas: ¿Hay colores rosados y anaranjados?, ¿hay un arlequín, vestido con ropa de rombos? y ¿hay artistas de circo o payasos? Si contestas afirmativamente a estas preguntas, es muy posible que esa pintura sea del período rosa.

El protocubismo y el cubismo

14   Muchos admiradores de Picasso disfrutan de las obras creadas durante los períodos del "protocubismo" y el "cubismo". En estos períodos, Picasso pintó a las personas y los objetos usando "formas geométricas" como, por ejemplo, triángulos, cuadrados y óvalos.

15   El período del protocubismo duró poco, desde el año 1906 al año 1907. Se cree que comenzó cuando Picasso, aburrido de sus pinturas, empezó a buscar ideas en otros tipos de arte. A Picasso le gustaba el arte africano, con sus figuras geométricas y líneas simples, y comenzó a pintar a las personas y los objetos como si tuvieran máscaras y pedazos rotos.

Composición con calavera (1907), pintura del período protocubismo

16   Este período fue seguido por el período del cubismo. El cubismo es una forma de pintar usando figuras geométricas que parecen pequeños cubos. En estas pinturas, las personas y los objetos no se parecen a su forma original sino que se deben ver usando la imaginación para identificar la figura. ¡Es como tratar de encontrar un tesoro muy valioso en cada una de estas obras!

17   Gracias a la imaginación de Picasso y a su gran talento como pintor, todos los años cientos de españoles se reúnen para celebrar fiestas en su honor. ¡Y qué mejor oportunidad para conocer España y aprender sobre el arte, que participando en una de estas magníficas celebraciones!

Comprendo lo que leí

Discuss the selection with students. Then have them complete the activities on a separate sheet of paper.

1. ¿Dónde nació Pablo Picasso?

    a. en París
    b. en Málaga
    c. en Madrid

2. ¿Cómo está organizada la obra de Picasso?

    a. en períodos artísticos
    b. en colores
    c. en materiales y técnicas

3. ¿Qué reflejan los colores en las pinturas de Picasso?

    a. su gusto por la pintura
    b. su estilo
    c. cómo se siente el pintor

4. ¿Cómo puedes identificar un período en la pintura de Picasso?

    a. por los colores, personajes y estilo
    b. por los colores
    c. por las figuras geométricas

5. ¿Cúales son algunas formas geométricas del cubismo?

    a. las máscaras africanas y pedazos rotos
    b. los triángulos, cuadrados y óvalos
    c. el tesoro y la imaginación

6. ¿Qué estilo prefieres: el realismo o el cubismo? ¿Por qué? Critical Thinking
    Answers will vary.

Así se dice

For both pages, discuss the concepts in the boxes and be sure students understand the examples. Then have them complete the activities on a separate sheet of paper. Assist students as necessary. **For Así se dice**, have students read aloud the sounds as they complete the activities.

> **Recuerda** que las palabras que llevan la fuerza de la pronunciación en la penúltima sílaba se llaman **palabras llanas** (o **graves**).
>
> ➤ verde: **ver**-de   origen: o-**ri**-gen   cocodrilo: co-co-**dri**-lo
>
> Las palabras llanas llevan acento si no terminan con las letras **n**, **s**.
>
> ➤ líder: **lí**-der   azúcar: a-**zú**-car   túnel: **tú**-nel

1. Separa en sílabas las palabras. Identifica las palabras llanas.

   a. compartía com-par-tí-a,   c. duró du-ró   e. París Pa-rís

   b. cubismo llana cu-bis-mo, llana   d. obras o-bras, llana   f. divertía di-ver-tí-a, llana

> **Recuerda** que las **palabras esdrújulas** son las que tienen la fuerza de la pronunciación en la antepenúltima sílaba. Todas las palabras esdrújulas llevan un acento gráfico (o tilde).
>
> ➤ árboles: **ár**-bo-les, último: **úl**-ti-mo, pájaro: **pá**-ja-ro

2. Separa en sílabas las palabras. Identifica las palabras esdrújulas.

   a. cubismo cu-bis-mo   c. momento mo-men-to   e. magnífica mag-ní-fi-ca, esdrújula   g. pintó pin-tó

   b. cómico cómico, esdrújula   d. óvalos ó-va-los, esdrújula   f. técnicos téc-ni-cos, esdrújula   h. artístico ar-tís-ti-co, esdrújula

3. Busca la palabra que significa lo mismo en la lectura. El número dice en qué párrafo está la palabra.

   a. exhibiciones (3) exposiciones

   b. tiempo en que ocurre o se hace algo (5) período

   c. reconocer una cosa que se busca (16) identificar

4. Usa las palabras de la actividad anterior para completar las oraciones.

   a. Picasso pintaba retratos tristes en el período azul.

   b. Las exposiciones muestran el arte de Picasso.

   c. Los colores y los personajes te ayudan a identificar el período de la obra.

Así se escribe

1. Busca en el diccionario el significado de las siguientes palabras.

    a. telescopio   Instrumento óptico con que se pueden ver cosas muy lejanas.

    b. teledirigir   Dirigir aparatos a distancia por medio de ondas.

    c. prototipo   Primer ejemplar de una cosa que sirve de modelo para hacer otras iguales.

2. Completa las oraciones con una preposición.

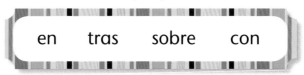

en   tras   sobre   con

    a. Día tras día iba al museo a ver las exhibiciones.

    b. Picasso pintaba con diferentes colores.

    c. En el período rosa pintó arlequines.

    d. En el museo compré un libro sobre Picasso.

A escribir   Discuss with students Picasso's life and artwork. Review the periods and the colors used, emphasizing the emotions related to the colors. Encourage students to imagine themselves as artists and to brainstorm new periods, colors, and emotions. Then have them write a paragraph on a separate sheet of paper. Remind them to use correct punctuation.

● Imagina que eres un artista y tienes un período artístico. ¿Qué colores tiene ese período? ¿Qué emociones relacionas con esos colores? ¿Qué objetos o personas pintas en ese período? Escribe un párrafo.

Answers will vary.

Leyenda

v. = verbo; *s.* = sustantivo; *adj.* = adjetivo; *adv.* = adverbio

a pesar de no obstante p. 170

abochornado (de **abochornar**) (*adj.*) con vergüenza p. 138

el **abono** (*s.*) sustancia que se echa a la tierra para hacerla más fértil p. 154

acordarme (de **acordar**) (*v.*) *remember* p. 49

los **admiradores** (de **admirador**) (*s.*) personas a las que les gusta mucho otra persona p. 178

ágilmente (de **ágil**) (*adv.*) con facilidad p. 98

el **agujerito** (de **agujero**) (*s.*) agujero o hueco pequeño p. 137

la **alcahuetería** (de **alcahuetear**) (*s.*) cuando alguien facilita mucho las cosas a otro p. 80

el **alcalde** (*s.*) persona que dirige el ayuntamiento de un pueblo p. 97

alegando (de **alegar**) (*v.*) dando una explicación de lo que se dice p. 143

el **altiplano** (*s.*) terreno llano y amplio situado a gran altura p. 95

ambiciosa (*adj.*) que quiere tener riquezas, poder o fama p. 105

animar (*v.*) dar confianza p. 64

los **antepasados** (de **antepasado**) (*s.*) personas de la misma familia que vivieron antes que otras p. 56

apaciblemente (de **apacible**) (*adv.*) con tranquilidad, con calma p. 159

la **apariencia** (*s.*) *appearance* p. 50

los **aplausos** (de **aplauso**) (*s.*) ruidos que se hacen cuando se juntan las manos para mostrar gusto por algo p. 82

el **árbol** (*s.*) *tree* p. 14

arqueológicos (de **arqueológico**) (*adj.*) restos de antiguos pueblos y civilizaciones p. 119

los **arrecifes de coral** (de **arrecife**) (*s.*) conjuntos de coral que están en el fondo del mar y se ven desde fuera p. 122

el **arroyo** (*s.*) río pequeño p. 66

la **artesanía** (*s.*) trabajo hecho a mano o con instrumentos sencillos p. 55

la **asamblea** (*s.*) reunión de personas que forman parte de un grupo p. 135

la **asignatura** (*s.*) clase de la escuela p. 65

el **atletismo** (*s.*) conjunto de deportes como la carrera, el salto y el lanzamiento p. 90

atropellado (de **atropellar**) (*v.*) que le había pasado por encima p. 162

la **ausencia** (*s.*) espacio de tiempo en el que alguien no está en un lugar p. 144

avara (*adj.*) que guarda su dinero y no quiere gastarlo p. 105

B

los **barcos** (de **barco**) (*s.*) *boats, ships* p. 20

la **composición** (*s.*) arte de crear obras musicales p. 169

la **composta** (*s.*) material a base de hojas y ramas que se echa en la tierra p. 154

comprometerse (de **comprometer**) (*v.*) hacerse responsable de algo p. 168

conseguía (de **conseguir**) (*v.*) obtenía, lograba p. 96

el **consejo** (*s.*) opinión que nos da una persona sobre lo que debemos o no hacer p. 71

consolarlo (de **consolar**) (*v.*) hacerlo sentir mejor p. 64

consumen (de **consumir**) (*v.*) comen p. 151

el **contratiempo** (*s.*) complicación o problema que no se espera p. 145

convencido (de **convencer**) (*adj.*) seguro de lo que piensa o cree p. 74

convertía (de **convertir**) (*v.*) *turned into* p. 44

el **corral** (*s.*) lugar al aire libre donde están los animales domésticos y el ganado p. 135

los **corrales** (de **corral**) (*s.*) lugares al aire libre donde están los animales domésticos y el ganado p. 96

cotidiana (*adj.*) diaria; lo que pasa todos los días p. 105

creer (*v.*) *to believe* p. 38

criticar (*v.*) dar una mala opinión sobre algo que disgusta o está incorrecto p. 73

cruzan (de **cruzar**) (*v.*) *cross* p. 14

cuyo *of which, whose* p. 49

D

dañinas (de **dañina**) (*adj.*) que causan daño o mal p. 168

de repente (*adv.*) *suddenly* p. 37

el **Departamento** (*s.*) cada uno de los territorios o estados de un país p. 120

desamparado (de **desamparar**) (*adj.*) sin ayuda ni protección p. 160

desandando (de **desandar**) (*v.*) volviendo atrás en el camino p. 146

los **descalabros** (de **descalabro**) (*s.*) daños p. 79

despejado (de **despejar**) (*adj.*) con el cielo sin nubes p. 160

destruyó (de **destruir**) (*v.*) *destroyed* p. 38

el **desvío** (*s.*) camino que no está en la carretera principal p. 127

detiene (de **detener**) (*v.*) para de caminar p. 72

el **dinero** (*s.*) *money* p. 44

la **dirección** (*s.*) dirigir, mandar u organizar algo p. 169

distinguidos (de **distinguido**) (*adj.*) que destacan entre otros por algo p. 136

las **doncellas** (de **doncella**) (*s.*) *maidens* p. 50

E

elegido (de **elegir**) (*v.*) nombrado, escogido p. 104

emprendieron (de **emprender**) (*v.*) comenzaron p. 145

entran (de **entrar**) (*v.*) *they come in* p.13

entrometidos (*adj.*) personas que se meten en las cosas de otros sin permiso pp. 81, 138

escapar (*v.*) *to escape* p. 26

la **escena** (*s.*) cada parte de una obra de teatro p. 71

la **escolta** (de **escoltar**) (*s.*) conjunto de personas que acompañan a otra p. 80

el **establo** (*s.*) lugar cubierto donde se guarda al ganado para comer y dormir p. 98

la **estación de ferrocarril** (*s.*) lugar del que sale y al que llega un tren o ferrocarril p. 64

estrecha (*adj.*) delgada, que no es ancha p. 114

el **éxito** (*s.*) buen resultado, logro p. 130

explica (de **explicar**) (*v.*) *explains* p. 8

extraño (de **extrañar**) (*v.*) echo de menos p. 66

F

los **fertilizantes** (de **fertilizante**) (*s.*) sustancias que se echan en la tierra para tener más frutos p. 152

las **fibras** (de **fibra**) (*s.*) hilos con los que se hacen tejidos p. 56

las **fincas** (de **finca**) (*s.*) terrenos que tiene alguien en el campo p. 120

flaco (*adj.*) *thin, skinny* p. 50

el **fruto** (*s.*) el resultado de algo p. 169

los **frutos** (de **fruto**) (*s.*) partes de las plantas que tienen dentro las semillas p. 151

fundada (de **fundar**) (*v.*) creada p. 127

G

grita (de **gritar**) (*v.*) *shouts* p. 25

H

las **hamacas** (de **hamaca**) (s.) redes que se cuelgan de dos lados y se usan como camas p. 57

hasta *until* p. 37

heredó (de **heredar**) (v.) recibió cosas que le dejó otra persona al morir p. 105

el **hierro** (s.) metal con el que se hacen muchos objetos p. 58

el **huerto** (s.) terreno pequeño donde se cultivan verduras y frutas p. 151

humedecen (de **humedecer**) (v.) mojan un poco p. 58

I

impaciente (*adj.*) intranquilo p. 73

impedir (v.) evitar p. 95

inolvidable (*adj.*) *unforgettable* p. 43

(no) **insistas** (de **insistir**) (v.) no repitas más p. 97

intrigante (de **intrigar**) (*adj.*) que actúa en secreto para lograr algo p. 144

invitas (de **invitar**) (v.) *invite* p. 37

J

jurar (v.) *to swear* p. 50

L

la **laguna** (s.) lago pequeño p. 120

lamentaba (de **lamentar**) (v.) se quejaba p. 64

el **lamento** (s.) sonido triste de pena o dolor p. 112

(se) **levanta la sesión** se termina la reunión p. 136

libre (*adj.*) *free* p. 26

liviana (*adj.*) que pesa poco, ligera p. 114

las **llamas** (de **llama**) (*s.*) animales de cuello y patas largas que se usan para mover carga en los Andes p. 95

los **llanos** (de **llano**) (*s.*) tierras sin diferencia de altura p. 105

el **lodo** (*s.*) barro que se forma en la tierra p. 121

la **loma** (*s.*) monte pequeño p. 160

 •

maduras (de **madura**) (*adj.*) listas para comerlas p. 152

los **magos** (de **mago**) (*s.*) *wizards* p. 50

malagradecido (*adj.*) que no agradece lo que se hace por él p. 143

los **manglares** (de **manglar**) (*s.*) plantas que crecen en las costas tropicales p. 120

el **mangle** (*s.*) árbol tropical de flores amarillas y ramas largas p. 143

el **manjar** (*s.*) dulce de leche p. 161

los **maullidos** (de **maullido**) (*s.*) ruidos que hacen los gatos p. 136

los **mayas** (de **maya**) (*s.*) *Mayan* p. 19

meditando (de **meditar**) (*v.*) pensando sobre algo en silencio p. 144

las **morisquetas** (de **morisqueta**) (*s.*) gestos que se hacen con la cara p. 80

la **motivación** (de **motivar**) (*s.*) algo que da ánimo p. 153

mudarnos (de **mudar**) (*v.*) irnos a vivir a otro lado p. 63

murmurando (de **murmurar**) (*v.*) hablando en voz baja p. 72

el **museo** (*s.*) *museum* p. 19

los **naipes** (de **naipe**) (*s.*) barajas, cartas p. 79

las **narraciones** (de **narración**) (*s.*) escritos en los que se cuenta algo p. 104

natal (*adj.*) se dice del lugar en el que ha nacido alguien p. 175

ni bien tan pronto como p. 127

nobles (de **noble**) (*adj.*) generosos, sinceros p. 146

la **nobleza** (de **noble**) (*s.*) *noble, nobility* p. 49

las **noticias** (de **noticia**) (*s.*) *news* p. 14

las **novelas** (de **novela**) (*s.*) obras literarias en las que se cuentan historias p. 103

observa (de **observar**) (*v.*) mira con atención p. 72

la **ocurrencia** (*s.*) mala idea, disparate p. 73

olímpicas (de **olímpica**) (*adj.*) obtenidas en los Juegos Olímpicos p. 89

la **orilla** (*s.*) trozo de tierra que está junto al mar p. 144

el **Panteón** (*s.*) tumba grande para enterrar a varias personas p. 65

los **párpados** (de **párpado**) (s.) trozos de piel que protegen los ojos p. 160

los **participantes** (de **participante**) (s.) personas que forman parte de algo p. 175

particulares (de **particular**) (adj.) privadas, individuales p. 64

pasó (de **pasar**) (v.) *happened to* p. 32

los **pasos** (de **paso**) (s.) movimientos de un baile o danza p. 113

el **patrimonio** (s.) propiedad cultural que se pasa de generación en generación p. 114

los **pedazos** (de **pedazo**) (s.) partes o trozos de una cosa p. 178

la **película** (s.) *film* p. 38

el/la **periodista** (s.) persona que escribe para un periódico p. 104

las **pieles de vicuña** (s.) pieles de un animal de los Andes, que se usan de abrigo contra el frío pp. 95, 98

la **pieza** (s.) habitación p. 95

las **pisadas** (de **pisada**) (s.) marcas de los pies en el suelo p. 121

el **poblado** (s.) conjunto de casas donde viven las personas p. 95

pocas (de **poca**) (adj.) *few* p. 20

pomposo (de **pompa**) (adj.) que muestra mucho lujo o riqueza p. 135

los **pómulos** (s.) huesos de la cara que están debajo de los ojos y a cada lado de la nariz p. 95

el **portazo** (s.) golpe que se da al cerrar la puerta con fuerza p. 97

los **preparativos** (de **preparativo**) (s.) todo lo que se hace antes de un evento p. 128

la **presa** (*s.*) animal atrapado que sirve de alimento a otro p. 79

la **presencia** (*s.*) estar en un lugar p. 129

pretencioso (*adj.*) que quiere ser más o mejor de lo que es p. 143

principal (*adj.*) *main* p. 19

los **privilegios** (de **privilegio**) (*s.*) derechos o ventajas que tiene alguien sobre los demás p. 135

los **productos textiles** (de **producto textil**) (*s.*) tejidos hechos de hilo o fibras p. 55

la **protesta** (*s.*) demostración de que no se está de acuerdo p. 104

el **pulgar** (*s.*) dedo más gordo y corto de la mano p. 114

R •

las **ramas** (de **rama**) (*s.*) *branches* p. 25

el **rebaño** (*s.*) grupo de animales de la misma especie, como ovejas o llamas p. 95

el **recipiente** (*s.*) objeto que puede tener algo dentro de él p. 153

recorrer (*v.*) ir por toda una zona p. 120

las **redes** (de **red**) (*s.*) tejidos de cuerdas que se usan en deportes como el voleibol p. 88

refunfuñar (*v.*) gruñir para mostrar enojo p. 80

regar (*v.*) echar agua a las plantas p. 154

el **reloj de sol** (*s.*) objeto que mide el tiempo usando la sombra de algo contra la luz del sol p. 128

el **remo** (*s.*) deporte en el que se usan palas largas de madera para mover un barco por el agua p. 65

resistentes (de **resistente**) (*adj.*) fuertes p. 57

resplandecía (de **resplandecer**) (*v.*) brillaba p. 160

el/la **rival** (*s.*) persona que se enfrenta a otra por algo p. 82

los **rombos** (de **rombo**) (*s.*) figuras de cuatro lados iguales y de dos ángulos mayores que los otros dos p. 177

ronca a más y mejor ronca mucho, no para de roncar p. 136

el **roquerío** (de **roca**) (*s.*) lugar con muchas rocas p. 98

rugió (de **rugir**) (*v.*) *roared* p. 37

rural (*adj.*) del campo p. 127

S

salen (de **salir**) (*v.*) *leave* p. 14

saltar (*v.*) *to jump* p. 25

satisfecho (de **satisfacer**) (*adj.*) contento p. 106

se apea (de **apear**) (*v.*) se baja p. 72

se burlaron (de **burlar**) (*v.*) se rieron de ellos p. 74

se fingió (de **fingir**) (*v.*) hizo creer algo que no era p. 144

se ríe (de **reír**) (*v.*) *laughs* p. 32

el **senador** (*s.*) persona que forma parte del Senado p. 104

la **seña** (*s.*) gesto para comunicar algo p. 82

el **siglo** (*s.*) período de 100 años p. 103

significa (de **significar**) (*v.*) *means* p. 43

sigue (de **seguir**) (*v.*) *follow, go on* p. 25

silvestre (*adj.*) que nace y crece en el campo de forma natural p. 143

sobresalientes (de **sobresaliente**) (*adj.*) excelentes, que destacan por encima de los demás p. 88

los **sobresaltos** (de **sobresalto**) (*s.*) temores o sustos que pasan de repente p. 79

el **sobrino** (*s.*) el hijo de su hermano o su hermana p. 143

sofocado (de **sofocar**) (*adj.*) molesto, enojado p. 136

solemnemente (de **solemne**) (*adv.*) con seriedad p. 135

sonríe (de **sonreír**) (*v.*) *smiles* p. 38

sumamente (*adv.*) muy p. 159

la **superficie** (*s.*) parte más externa de algo p. 122

surgió (de **surgir**) (*v.*) se originó, se creó p. 105

el **susto** (*s.*) sensación de miedo p. 79

T •

tal por cual mala persona p. 81

las **telas** (de **tela**) (*s.*) tejidos para hacer ropa y otras cosas p. 56

el **telón** (*s.*) cortina que se levanta y se baja al comenzar y terminar una obra de teatro p. 74

los **temas** (de **tema**) (*s.*) asuntos de los que trata algo p. 176

la **tembladera** (de **temblar**) (*s.*) temblor fuerte del cuerpo p. 82

la **temporada** (*s.*) época, tiempo del año p. 151

(se) **tendió** (de **tender**) (*v.*) se acostó o echó p. 98

tenía (de **tener**) (*v.*) *was* (*years old*) p. 43

los **tesoros** (*s.*) cosas de gran valor guardadas p. 121

tierno (*adj.*) de poca edad p. 72

tiñen (de **teñir**) (*v.*) dan color a algo p. 56

el **tirón** (de **tirar**) (*s.*) tirar de algo con fuerza p. 162

las **toneladas** (de **tonelada**) (*s.*) unidad de peso que es igual a mil kilos o 2,205 libras p. 151

transformados (de **transformar**) (*v.*) cambiados p. 170

transforman (de **transformar**) (*v.*) convierten una cosa en otra p. 55

el **trato** (*s.*) acuerdo, decisión p. 79

triste (*adj.*) *sad* p. 20

las **tupidas arboledas** (*s.*) lugares con muchos árboles, muy juntos p. 127

el **turismo ecológico** (*s.*) visitar lugares sin dañar el medio ambiente p. 119

U

ubicada (de **ubicar**) (*v.*) situada o localizada p. 127

urbana (*adj.*) de la ciudad p. 127

urbanos (de **urbano**) (*adj.*) de las ciudades p. 152

V

las **vasijas** (de **vasija**) (*s.*) objetos que se usan de adorno o para guardar agua y comida p. 58

las **vecindades** (de **vecindad**) (*s.*) donde viven los vecinos o habitantes de un pueblo p. 112

la **verdad** (*s.*) *truth* p. 38

las **veredas** (de **vereda**) (*s.*) aceras; caminos estrechos p. 127

la **vicuña** (*s.*) animal de los Andes de pelo similar a la lana, que se usa para hacer tejidos p. 98

vigoroso (de **vigor**) (*adj.*) con mucha energía p. 72

vio (de **ver**) (*v.*) *saw* p. 44

vivía (de **vivir**) (*v.*) *lived* p. 49

volador (*adj.*) que vuela p. 159

los **volantes** (de **volante**) (*s.*) tiras de tela que se ponen de adorno en la ropa p. 113

vuelta de carnero media vuelta en el aire p. 162

 •

las **zapatillas** (de **zapatilla**) (*s.*) zapatos que se usan para hacer deporte p. 128